D1459023

OPHYSJE EN DELBÊDZJE

Wieke de Haan

Ophysje en delbêdzje

Ferhaleboek foar froulju

Bornmeer

Ljouwert | Utert 2006

Foar de Kjirremjirre-froulju

NUR 312

ISBN 90 5615 133 9

ISBN-13: 978-90-5615-133-1

Dizze útjefte is mei mooglik makke troch de provinsje Fryslân

Ynhâld

De kontener

Riekje hie in skoansuske dat al ris sein hie dat sy oan 'e blommen by de minsken yn 'e hûs sjen koe hoe't se har fielden. Hiene de blommen yn 't finsterbank allegear giele bledsjes of sieten se ûnder de lús of spint of hoe't dat ûngedierte ek mar hite mocht, dan sieten de eigners ek net goed yn har fel. Stie der in suterich boskje blommen op 'e tafel, dan doogde it ek net.

Dus, alle kearen as dat skoansuske kaam – en fanmiddei wie it wer sa fier – dan smiet Riekje earst in partij planten fuort en kocht in fris boskje blommen foar op 'e tafel. Se wie no dwaande om by de kontener de biezem even oer de tegels te heljen, om fuort ek mar de ôffallen blomkes en alle deade bledsjes op te feien, want miskien telden de blommen bûtendoar ek wol mei.

Eins hie dat skoansuske wol wat gelyk, tocht se al swypkjend mei de biezem: minsken mei griene fingers wiene oer 't generaal aardich fleurich. En fan minsken dy't fertriet hiene of depressyf wiene, ja, dêr koene je doch min fan ferwachtsje dat dy fleurich de deade leaten fan in plant ôf stiene te knippen en de blomkes sjongendewei fan nije blommemodder foarseagen?

Ja, hoe't de blommen derby stiene of hongen, dat seach sy eins ek wol wat as it ferlingstik fan lichemstaal. Ast dêr yn leaudest, dan fûnst wat minsken tsjin dy seine net sa belangryk, dû lettest spesjaal op de lichaamlike

7

sinjalen dy't se ôfjoegen. Sieten de minsken dy oan te sjen ûnder in petear, holden se de hannen oer elkoar foar 't boarst, sokke dingen.

Sy hie ek wolris lêzen dat minsken dy't noait wat oprûmen - of wolris wat oprûmen, mar dan wie 't foar oaren net sichtber – nochal gaotysk yn 't libben stiene. Ja, ek dat koe se daliks werom: as sy ris wat oprûme, wie 't fuort letter wer in gaos en dan liet se it fierder mar gewurde, it wie om mismoedich fan te wurden.

Gelokkich wiene it wol meast keunstners en oare hiele kreative minsken dy't alles mar lizze lieten dêr't se mei dwaande wiene. Dat joech har wol wer in bliid gefoel. Faaks, tocht se, wie se har ropping oant no ta misrûn.

Se besocht mei de biezem wat giele blombledsjes út in hoeke te reagjen, mar dat slagge net. Der bleaune altyd wol wat dwerse eksimplaren lizzen, dy woene net om lyk. Eins wie it wol in moai gesicht, dat giel fleure it griis fan de betontegels aardich op.

Och, tocht se, nim no minsken dy't yn 't sikehûs leine: ast dea-siik wiest, wat koe it dy dan skele watfoar nachtpon ast oanhiest en hoe't dyn hier siet? Sy wist noch wol fan har beppe dat dy altyd in pear steltsjes knap ûnderguod en wat kreaze nachtklean op nij te lizzen hie, foar it gefal dat. Wat in larykoek: pake koe nachts wol wat tsjin it stikken ûnderguod oan koeke-loere, mar de dokter yn 't sikehûs krige skjin en hiel guod foartsjoend! Eins soe it oarsom wêze moatte: altyd hiel knap ûnderguod oan, want as je wat oerkaam, dan hoegden je dêr gjin prakkesaasjes oer. As in show-girl op 'e brankaar, huppekee! Leine je dan ienkear yn 't sikehûs, dan koe it âlde guod wol oan. Se soene echt net in behanneling wegerje, omdat it ûnderguod har-ren net oan stie.

Wylst se nochris goed nei de giele blombledsjes yn de hoeke seach, naam se har foar om de earstfolgjende kear as har skoansuske op besite kaam, de blommen en de planten gewurde te litten. As sy dan freegje soe hoe't it mei har wie, hie se it antwurd al yn 'e holle: As de blommen – sokken mei giele bledsjes!

De boat

'Dêr ha 'k my dochs wer in gelok hân, moatst rekkenje.'
'Wat no?'
'No, ik sil de trailer mei de boat achterút de oprit op ride, fljocht ien fan de tsjillen derôf.'
'Mar dat hast ek al ris earder hân!'
'Ja, dêrom krekt en doe wie't ek op de oprit, en no wer.'
'Dit hiene wolris hiele oare krystdagen wurde kind.'
'No, dêr moatst mar wol op rekkenje, ik bin der krekt noch mei in gong fan 100 km mei oer de sneldyk riden. Moatst der net oan tinke dat ik dy grap dêr hân hie.'
'Dit is alwer bêst beteard. Nei de krystdagen mar sjen om in nije trailer, want hjir komst fansels net wer mei fuort.'

Nei de kofje starte Jelle de kompjûter op en strúnde wat op ynternet om, want hy woe daliks nei de krystdagen om in oare trailer út: yn 'e krystfakânsje moast er fansels al ris eefkes mei it boatsje fuort kinne te fiskjen. Letter dy middeis skode er mei syn fiskmaat de boat sa goed sa kwea fan 'e trailer en sette him rjochtoerein tsjin 'e garaazje. De trailer waard op in karre meneuvele. De punt fan de boat stie harren moai boppe it sket út yn it sinneljocht ta te blinken: solide as in boechbyld.

De oare deis wie it Earste Krystdei. Op besite by famylje waard it foarfal mei graachte opleppele en as gelokstroef ynset by de tafelkonversaasje. Twadde Krystdei soene Jelle en Joukje eefkes in slachje om foar it middeisiten. Doe't se de hûs út kamen sei Joukje tsjin Jelle: 'Ik mis wat yn myn byld.' It plaatsje bûtendoar kloppe net. Jelle seach even om him hinne, sette de sokken deryn, ja, hy miste ek wat: de boat stevene net langer boppe alles út! It foel him no ek op dat de wyn oanhelle hie. Hoelang wie dat al sa? Hy skuorde de sketsdoar iepen en rûn de oprit op.

Dêr lei de boat boppe op de motorkap fan 'e auto. Hy wie op ien of oare wize boppe op 'e auto klapt. Se hiene der neat fan heard. De foarige jûns doe't se mei-inoar yn 'e keamer sitten hiene, wiene se noch kjel wurden fan in klap boppen harren. Dat hie, die letter bliken, in skuondoaze west, dy't wierskynlik wat op 'e wip stien hie boppe-op ien fan 'e kleankasten. Dat hiene se allegear heard: in skuondoaske dat op it tapyt foel, mar sa'n swiere izeren boat dy't op in auto batst wie, dêr hie net ien fan allen wat fan fernaam …

Doe't Joukje troch de sketsdoar kaam, sei Jelle: 'Silst it net leauwe …'
'Mei dy sjoch ik nergens fan op!'
'No, dû sjochst it wol, tink!'
Joukje sloech de hân foar de mûle, beseach de boat oan alle kanten en koe it laitsjen net ynhâlde.

It wie in grappige frijaazje: in boat mei in auto, al wie it wol wat rûch om en ta gien. De auto hie in gat yn 'e holle en de boat hie ek wat skeinplakken yn 'e skurte.

'As der no ek noch snie falt, dan meitsje wy der in foto fan, dan ha wy ek daliks in moai idee foar de krystkaart fan takom jier.'

'Soa. En wat woest der dan foar tekst opsette?'

'Dêr ha wy fansels noch in jier de tiid foar, mar wat tinkst fan: In auto en in boat op ien kessen, dêr sliept de duvel tusken?'

De ferpakking

Dat hie se lêsten op 'e jierdei krigen: in lyts felblau nylon boadskiptaske dat hiel lyts opteard siet yn in hoeske. Dat wie sa handich om mei te nimmen, dan hoegden je noait mear om in plestik tas te skoaien, dan hiene je altyd wat by jin, sa wie de útlis fan de freondinne dy't har bliid makke hie mei dizze moaie útfynst. "Ek noch goed foar it miljeu en hiel praktysk."
Dat Ciska der om in hiele oare reden bliid mei wie, doarde se yn it bywêzen fan alle jierdeisgasten net te fertellen. Se hie der wer in opberchsysteemke mei nylon hoeske by! Dêr wie se gek op. Se hie ek sa'n moaie reade paraplu dy't se hiel lyts ynskowe koe ta in read kneppeltsje. Dêr siet ek sa'n moai strak nylon hoeske omhinne.
Sels sa'n âlderwetsk plestik reinkapke dat noch út in âld hântaske fan har mem kaam wie, bewarre se. Om it yngenieuze systeem fan optearen en bewarjen. As it sa moai nau oanslutend opburgen siet, koe se dêr sa fan genietsje. Sa moai te pas, perfekt.
It gie noch krekt net safier dat se de fjouwerpersoanstinte geregeldwei foar it ljocht helle, dy opsette en wer ôfbruts en optearde. Sjoch dat wie no wer it oare uterste. It moast moai bliuwe fansels. Sa'n opklapber regisseursstuoltsje, dat wer presiis yn in strak keunststof hoeske paste, sjoch, dêr hie se wol wer wat mei.

Yn it ferlingde dêrfan lei har passy foar dûbele boai-
ems. Se hie in rûne salontafel, dêr't fjouwer laadsjes
ynsieten. Hellest dy der alle fjouwer út, dan bleau der
yn 'e midden fan 'e tafel noch in fjouwerkant bakje oer:
it geheime laadsje. Net dat se dêr no sokke wichtige
dingen yn bewarre, mar dochs, sy wie der gek op.
Yn âlde huzen wie har earste opdracht altyd om op 'e
sneup nei ferburgen doarkes of lûkjes, dêr't mooglik
noch wat achter te finen wie. Sa hie se yn Frankryk ris
yn in kastiel west, dêr't in geheime trep yn boud siet.
Yn earder tiden hie dat handich west foar frijers om
gau fuort komme te kinnen. Of om inoar net tsjin 't liif
te rinnen. Prachtich fûn se dat.
It fenomeen Ingelske krystpudding fassinearre har
ek geweldich. In pudding te meitsjen dêr't geheime
boadskippen yn bebakt sieten, dat wie foar har it sum-
mum fansels.
As it sinteklazetiid wie, koe se it dan ek net litte om
ferskate kado's byinoar yn ien kado yn te pakken. It
leafst joech se tassen mei in soad fekjes en flapkes
kado, sadat se har hearlik útlibje koe troch oeral wat
yn te stopjen. Joech se in pear sokken, dan die se in oar
kadootsje yn ien fan de sokken. It leafst die se yn beide
sokken wat fansels. Sa pakte sy it dan wer yn. Op syn
moaist kamen dy sokken dan wer yn in oar kado.
Dat die se net om de minsken oan 't wurk te hâlden.
Surprizes dy't der allinne mar foar bedoeld wiene om
fan de âlde kranten ôf te kommen, dêr die se net oan

14

mei, dat fûn se dochs wol sa alderivichste flau. De keamer fol papier en plakbân, en dan hiest noch mar ien luzige sûkeladeletter of sa.

Nee, by har hie alles in funksje: elk kado wie multy-funksjoneel sis mar.

Mar no wie der in probleemke. Net grut fansels, mar it wie der al. It bestie. It bestie ek wol sadanich dat se der net omhinne koe. Der wie by har in rubber-allergy konstatearre. En dat wylst se it krekt sok moai wurk fûn om in rubberke by har man om 't spultsje hinne te strûpen. Dat paste altyd presiis en it ôfwuoljen wie ek noait in probleem.

Mar dat koe no dus net mear.

Se soe har tenei behelpe moatte mei it blauwe nylon taske.

De slachsinkeninginne

Henny smiet har moaie nije mantelpakje yn in hoeke. Se hie it spesjaal oantúgd om kreas in priis yn ûntfangst te nimmen, mar se hie likegoed thúsbliuwe kind. Watte, dat hie better west!

Yn de reklamewrâld hawwe se it oer slogans, mar Henny hie it altyd oer slachsinnen. En dêr hie se slach fan, fan slachsinnen.

Sy hie yn har libben al hiel wat byinoar slachsinne. Alle priisfragen dêr't sy oan meidien hie, hie se kreas byhâlden yn wol acht tsjûke plakboeken. Dêr hie Henny net allinne yn plakt wat der frege waard fan de dielnimmers, mar ek wat se dermei wûn hie. Der sieten mar inkelde priisfragen tusken dêr't se noait wer wat fan heard hie; foar de measte slachsinnen hie se wol wat krigen.

De prizen rûnen nochal útinoar: in fleske wyn, in kaaihinger, in wykeintsje Centre Parcs, sporttassen (by de fleet!), mar ek in wintersportfakânsje foar twa persoanen.

Dat wie àl sa grappich; as sy in reiske wûn, siet se altyd mei lju yn de trein of it fleantúch dy't ek prizen wûn hiene. Fansels waarden ûnderweis de slachsinnen út 'en treuren mei inoar fergelike en faaks waarden daliks alwer nije betocht.

'Hee, is 't no út, ik soe by 't rút.'

'Mei Gelske har glêzespray, binn' jo ruten sa wer okee.'
'Ek sûnder GG, sis ik gjin nee.'
'No hie 'k wol sin oan in snackje, lit my net langer blaubekje.'

Sa gong dat, gewoan praat waard der amper: it hold wat it midden tusken ynstant sinteklazerym en de simpelste, mar doeltreffendste slachsinnen.

De lêste kear, yn it fleantúch nei Rhodos – in fette priis, it wie dan ek in bank dy't de priisfraach útskreaun hie – hiene se as in klasse lytse bern op skoalreis, in fariant op it spultsje "Ik sjoch, ik sjoch watstû net sjochst en it is ..." betocht. It spultsje bestie út it rieden fan fer-neamde slachsinnen. De namme fan it produkt waard derút litten, dat moast ret wurde: "... als je voor pret bent." As it heal koe brûkten de dielnimmers slogans dy't se sels betocht hiene, want dêr wiene se grutsk op, dat koest oan it glunderjen wol sjen.

It is ek net neat fansels as in fabrikant in slachsin fan dy jierrenlang brûkt om syn produkt oan te priizgjen. Net sa faak mear op rym trouwens, en dat muoide Henny al. Wat hie sy net omstind op it finen fan krekt dat iene rymwurdsje! Soms hie se it ynienen, dan sette se de stofsûger út en dan moast se earst in pinne en in fodsje papier opsykje om har ynfal op te skriuwen, oars wie se it ek sa wer kwyt. It nuvere wie dat de slachsinnen dy't se yn ien kear op papier set hie, ek har bêsten wiene, dêr't se de grouste prizen mei wûn.

Okkerdeis hie in nij buertkafee ferlet fan in pakkende slogan. Se hiene de opdracht by in lyts reklameburo dellein, dy't it in goed ding talike om der daliks mar in priisfraach oan te ferbinen.

Wat hie se it eins in ûnnoazele priisfraach fûn, gewoan in rymwurdsje op Greet en klear wie it: 'Gean nei Greet en krij freonen by de fleet!' Ien fan har bêste, fûn se sels, en it sloech oan, want it waard al gau in begryp: elk wist wêr't Greet te finen wie. Ynienen woe elk oanstekke by Greet, tosty-ite by Greet, trochsakje by Greet. It wie Greet foar en Greet nei. De priis wie twahûndert euro, dy't se pas nei fiif kear beljen oermakke krige.

Nammerste grutter wie dan ek har foldwaning doe't har kreet de Fryske reklame-priis wûn. Hielendal opdoft wie se fan 'e jûn nei de priisútrikking yn De Harmonie tein. Se hie in nij mantelpakje oantúgd en efkes nei de kapper ta west. As se op it poadium stie, soene der wol kamera's stean te flitsen, tocht se.

Mar wat in kâlde dûs wie it doe't net sy, mar it reklameburo dat de wedstriid útskreaun hie, nei foaren roppen waard om de priis yn ûntfangst te nimmen. It bloed waard har sûpe, hielendal doe't de reklameman har yn syn tankwurdsje mei gjin wurd neamde. Sy mar moaie reklame-slogans betinke en sa'n glêd mantsje der eare mei ynlizze! Wat miende dat reklamerotsakje wol net! Hàr slachsin hie wûn, en dat soene de lju hjir ek witte.

Yn in refleks riisde se oerein, wankele even op 'e hakjes

en stifele by de rige minsken del. Se seach ferwyldere om har hinne en brûsde oan 'e sydkant by in trepke op. Sy fielde har sterk, rûn op de steande mikrofoan ta, bûgde har gesicht nei it ding ta en sei op har alder-dúdlikst wylst se de man fan it winnende reklameburo oanseach: 'It is myn Greet, eh … myn slachsin! Wat bist in sekreet, triuw dy priis mar yn dyn …'

Eigen baas

'Binn' jim it hûs al kwyt?'

'It hûs al kwyt? Wy ha it net mear te keap, ik hie sa skjinskitend myn nocht.'

'Mar jim moatte doch ferhúzje, Kees hat dy baan doch oannommen, dêr boppe Dokkum?'

'No, as it moat, giet er dêr mar fijn allinne hinne, ik bliuw hjirre.'

'Mar wat is der dan, wolst hjir net wei?'

'Ja, ik wol hjir wol wei, mar dat hûs!'

'Dat hûs, wat is der dan mei it hûs?'

'Alle kearen as de makelder bellet dat der minsken komme, moat ik de boel wer oan kant ha!'

'Dat is wol frusty fansels.'

'Ja, behoarlik frusty. No ja, en der moasten ek nije doarren yn.'

'Nije doàrren?'

'Ja, ús jongste hie wat te bot oan 't fuotbaljen west en mei sokke suterige doarren kamen de keapers net oer de drompel, fûn dy huzeman.'

'Dus in protte ûnkosten makke ek noch!'

'Ja, en dat gat yn 'e muorre, lyk yn 'e keamer, dat moast ek noch ticht.'

'In gàt?'

'Ja, ús Diederik kaam mei syn rapport thús en doe wie er sa dûm, dat er mei de rugbyskuon oan, de muorre yn 'e keamer geweken nommen hat.'

'Dat fûn de makelder net keapsjoch, tink?'

'Hy sei: 'It docht oan as in striidtoaniel, jo kinne mar better in stukadoar belje en de muorre wat oplaapje litte.'

'Hiest ús ommers wol even belje kind, want dat hie Jaap ommers wol even foar jim dwaan wold.'

'Och ferhip, dat is ommers ek sa. No ja, dêr is it dan no yn alle gefallen moai te let foar.'

'Hast it al dwaan litten, dan?'

'Ik hie myn nocht fan al dy ekstra kosten, dat ik ha sels plamuer kocht en ha dy muorre sa goed en sa kwea as it koe tichtplempt.'

'Is dat wat slagge?'

'No, wat tinkst sels? It is der earder minder op wurden.'

'En no?'

'No, dat sil ik dy fertelle. Alle kearen koe 'k it hûs op-rûmje. Dan troppe ik gau alle losse klean yn wat wyk-eintassen en smiet dy troch it lûk fan de fliering. Mar doe moast ik lêsten betiid nei 't wurk en doe hie 'k gjin skjinne beha's mear yn 'e kast en doe hie 'k fergetten yn hokker tas ik myn moaiste beha opburgen hie. Doe wie 'k sa fan 't sintrum, dat ik ha it wurk ôfbelle en sein dat ik siik wie, wat eins ek gjin leagen wie.'

'Dus dy siik melden omdatst dyn beha net fine koest?'

'Ik bin mei de kninen los yn 't hok yn in âld joggingpak strûpt en ha in slach om west te rinnen. Ik koe it hûs net langer ferneare, ik moast der gewoan út.'

'Bist net oerspand troch it hûs, wol?'

'Dat noch krekt net, mar ik wol hjir gjin aspirant-kea-pers mear oer de flier ha en al hielendal gjin huzefer-keapers mear, mei dat lekskoaierige praat: 'Mefrou, wy moatte folume kreëarje,' wat betsjut dat ik wer alle surfplanken út 'e garaazje sjouwe kin en salang by de buorlju op it hiem tôgje. Dy skatten wurkje al sa mei, dy spylje gjin piano en harren bern draaie gjin lûde muzyk as wy oanjouwe dat der wer guont komme.'

'Mar it hâldt in kear op fansels.'

'Kinst de buorlju der ek net hieltyd mei lestich falle, dy stumpers binne suver ek al út harren dwaan. Op 't lêst hiene wy wol trije kear wyks minsken dy't it "sa'n énich hûs" fûnen. Guont ha hjir wol trije, fjouwer kear west. Mei de bern, mei de âldelju, mei harren eigen makelder.'

'Mar net tahappe, tink?'

'Nee, wis net.'

"Doch wat sjofeltsjes, sorry. Fierders wol in moai hûs, hear, grut hiem ek wol. Mar ja, hin? Der komt in fiks bedrach by foar in face-lift, dat wy sjogge der mar ôf."

'Dat no hast dyn nocht, begryp ik wol.'

'Ik kin it net mear opbringe, dit hûs hat it my altyd skoan dwaan kind, ik snap net hoe't oaren der sa op ôfknappe kinne. It begruttet my om it hûs dat net ien deryn wol.'

'Dus omdat it dy begruttet om it hûs, bliuwst hjir?'

'It hûs kin it ek net helpe dat der altyd yn libbe is, it is doch ferdikke gjin toanseal, sa'n hûs moat dochs wat klappen opfange kinne fan it echte libben?'

'En Kees, wat fynt dy derfan?'

'Dy seit dat ik my net sa oanstelle moat. Hy hat in stukadoar besteld, om de hulten en bulten wer wat glêd te striken.'

'Dan moat it ek wer skildere wurde, tink?'

'Dat sit der dik yn, ja. Mei dy doarren binne wy der ek noch net.'

'Hiest dochs nije meitsje litten?'

'Ja, sa'n sjappy hat hjir in moarn omspaand en de boel opmetten, ja, en no binne de gatten der ferkeard yn boarre.'

'Dus dy moatte earst ek wer byholpen wurde, tink?'

'Kinst dy begripe dat it my hjir oan ta sit?'

'Wat fine de bern derfan?'

'O, dy ha daliks nei 't der foar it earst minsken oer de flier kamen sa'n kettingslot oan 'e binnenkant fan harren sliepkeamerdoar monteard.'

'Dat mienst net.'

'Ja, de doar kin sa'n fiif sentimeter iepen. Sa kinne de minsken krekt in yndruk krije fan de sliepkeamer; moai genôch.'

'Dus dat fûnst goed?'

'No, ik fûn 't earst net sa moai, mar ik kin it my no goed begripe. It is ek sa'n ynbrek op jin privacy, krekt as bist ferdikke op besite yn dyn eigen hûs. Wolst ek kofje trouwens, de mûle is my der droech oer.'

'Hast it wol oan tiid dan?'

'Bern, ik ha alle tiid fan 'e wrâld en in friezer fol apeltaar-
ten. Dat wie altyd it sechje fan dy glêde dakpanneman:
"Even in apeltaart yn 'e oven en dan binne se samar
ferkocht." Dat kloppe, in stik apeltaart gie der altyd wol
yn, mar foar 't hûs hiene se de measte belangstelling
oars net. Sadwaande sit ik no mei in fracht apeltaarten
dêr't in hoeke út wei mist.'

'No, dan setst no dochs in buordsje yn 'e tún mei "apel-
taart te keap"?'

'En dan wer allegear minsken oer de flier tink, te lek-
skoaien. Dan kin ik wer himmelje en oprêde, nee dat
moat mar net wêze. Ik bin krekt sa bliid dat ik fan it
oare boerd ferlost bin. Wat seist, sille wy mar even in
gat slaan yn de foarrie apeltaarten? Gau even in stik
ûntteie yn 'e magnetron.'

Plakke

Maaike hie ek wolris heard fan minsken dy't wat ûnnoazel mei de sekondelym omsprongen wiene en dêrfoar nei it sikehûs moasten. Dat wie noait mei opsetsin dien. Lêsten hie der lykwols in gefaltsje west fan in man dy't it al willemoeds dien hie. Se fûn it sa grappich dat se de hannen opinoar hân hie, wylst se it berjocht siet te lêzen op teletekst.

Wat wie der te rêden? It gie yn dit gefal om in finzene, dy't ûnder it besykoere ien fan syn hannen ynsmard hie mei supersterke lym en doe syn freondin in hân jûn hie. Wiken-, faaks wol moannenlang hie er gjin seks mei syn freondin hân en har dan hiel romantysk in hân jaan! Mar wol in wat kleverich hantsje. It koe hast net oars of hy hie it mei goedfinen fan dy freondin dien, want hoe soe er oars ek oan dy lym kaam wêze? Grif net fan de houtbewurkingsôfdieling. Houtlym moast op syn bêst trije oeren (de goeie) en op syn minst njoggen oeren droegje (de goedkeapere soart). Sjoch, dat krigest yn ien besykoere net klear.

As it sa wie, dat sy it op in stuit meismokkele hie, hoe hie se dat dan hân, want tsjintwurdich waarden net allinne de finzenen, mar ek harren besikers hast binnenstebûten keard. Oeral waarden se neisjoen, oant yn de edele dielen ta. No sit sekondelym meast yn hiele lytse túbkes, dat miskien hie se it ek wol yn in wrong

25

yn 't hier ferburgen. Of yn in hakke fan in pear trendy puntlearskes.

It wie in moai ferhaal, mar as sy dy freondin west hie, hie se it wol witten: sy hie der net in hân foar opoffere. Stel dat it mislearre en al it fel gie mei as de hannen mei geweld wer fan inoar ôfhelle waarden? Ferline jier wie se in kear langút fallen. Sy wie it brechje oer draafd om de trein te heljen en wie ûnderweis stroffele oer har wide boksen. De knibbels hiene der wiken oer dien om wer wat toanber te wurden. En mar etterje en dwaan. As se dêroan tocht woe se al hielendal noait wer in wide broek oan ha! In jier neitiid hiene de plakken noch te sjen west. Kinst neigean wat sekondelym dan wol net foar skea oanrjochtsje soe.

Mar goed, in dei as wat letter stie der in ferfolchberjochtsje yn 'e krante, nammentlik dat it leafdespear einlings mei súkses fan inoar skaat wie. It waard op in wize brocht as gie it hjir om in súksesfolle skieding fan in Siameeske twilling dy't mei de hollen oan inoar fêst siet.

Der wie in hiel sterk oplosmiddel brûkt. It sikehûspersoaniel hie earst fia it merk lym de fabrikant achterhelje moatten om de krekte gearstalling te pakken te krijen. Doe't dy gegevens der wiene, hie de 'operaasje' mar in grap west.

Us lymmantsje hie it mar knap besjoen. Hy hie dan

dochs mar in superlang besykoere hân. Trije dagen hie er syn freondin moai ticht by him hân en lekker mei har op in – bewekke – sikehûskeamer lein. Rekkenje mar dat se mei de frije hannen noch maklik nei alle oare lichemsdielen koene. De bewaking sil echt wol bûten de keamer sitten ha en net neist it bêd. En wa wit hiene de Velponman en frou wol in kaartsje op 'e doar hân mei de útnoegjende tekst: 'Kom rêstich del, mar bliuw net plakken.'

Eilânkultuer

Sy wie it type dat altyd alles brûke koe en in hekel hie oan weismiten. Je wisten mar noait wannear't it guod nochris fan pas komme koe. Healsliten klean en húshâldtekstyl wat net mear al te al te wie, bewarre Tytsje yn in kast op 'e oerloop. Altyd maklik as der by 't fervjen âlde klean en âlde fodden noadich wiene. Op fakânsje wie 't ek moai meinommen: ast it ôfwaskjen mei in âld skûldoek dien hiest, koest sa'n raffelige âld teedoek neitiid moai fuortsmite. Hartstikke handich, dan hiest ek gjin smoarch waskjen. Sa bewarre se ek de dekbêdhoezen dy't wat tin waarden. Fansels waarden de ûnderbroeken dêr't wat gatsjes ynfoelen ek moai opburgen, foar it gefal dat.

Dat 'foar it gefal dat' kaam earder as ferwachte. In freondinne belle oft Tytsje ek in dei as wat mei woe te eilânhoppen. Mei in boat fan 't iene eilân nei 't oare en dan op elk eilân tweintich kilometer kuierje. Deis sels de lunsj opskarrelje en dan jûns yn in restaurant mei de hiele eilânhopgroep ite. Tytsje wie ferheard dat der ynienen plak frij wie, want sokke tochten, dêr kamen je hast net tusken.

Mar har freondinne hie in fin mear as in bears en hie foar harren beide in plakje witten te krijen. Der wie wol ien betingst, se moast hjoed noch út 'e rie, want moarnier moasten se al oanmeunsterje. No, it koe om har wol oangean. Itensboel hoegde der ommers net mei. As se de pinpas meihie, koe har neat gebeure.

Daliks socht Tytsje har grutte wykeintas op en strúnde yn 'e kast om op 'e syk nei gaadlike klean. In pear koarte broeken, in lange broek, of nee, dochs mar twa lange broeken, genôch sinnehimdsjes en t-shirtsjes. In grouwe trui pakte se ek mar yn, want se siet op 't lêst jûns op in skip.

Wat die se no eins allegear?! Se koe ferdikke foar itselde har oerloopkast wol even plonderje. Ja ommers! Op de eilannen rûn elk yn healsliten guod om. Raffelige spikerbroeken, ferblikke sopjurken, t-shirts mei gatten, dat hearde dêr gewoan by de kultuer. Se hold de tas wer op 'e kop en treau de klean dy't se oars krekt sa moai oardere hie yn 'e wykeintas, werom yn 'e kleankast.

Tytsje rûn nei de oerloopkast, helle der earst in stik as wat healsliten ûnderbroeken út en socht wat ferversshirtsjes út en ôfknipte spikerbroeken, âlderwetske leggings en in trui mei brângatsjes deryn. No noch in pear healsliten handoeken fan 't steapeltsje. Fierder in dekbêdhoes en in kessensloop en dan wie sy wol klear. Ferhip, se moast har rinskuon net ferjitte fansels, dat soe my ek wat wêze. Man, eins hoegde se aanst allinne dy skuon en de toilettas mar wer mei werom nei hûs te nimmen! Al it oare soe se dêr bliuwe litte kinne as ôffal. Dan hie se as se thúskaam in makje, se hoegde net iens in tas út te pakken. Lekker relaxed, net?

Goed oer harsels te sprekken treau se noch in boek
dat se krekt kocht hie yn 'e tas, en sette him klear yn
'e gong. De wekker moast se al sette, want se doarde it
net aventoerje om út harsels wekker te wurden. Sa'n
boat wachte net fansels.

De oare deis rieden de beide froulju nei de boat en
giene oan board. Doe't de weismytfrou ûnder it far-
ren har boek út 'e tas helje woe, bejoech de rits fan 'e
wykeintas it. Hoe koe dat no mei sa'n mislike rits? Se
hie de tas echt net te fol hân, dêr wie se wis fan. No ja,
it wie al wer net oars. Se pakte it boek dochs mar út 'e
tas en skode de tas wer oer de flier yn 't rûm.
Nei in moai ein farren, wiene se yn 'e haven fan Teksel.
Dêr gie de hiele groep fan board. De reisliedster sei dat
de eilânhoppers no wat om harren hinne sjen koene. Se
waarden op 'e neimiddei wer ferwachte yn in restaurant
by de haven. De oare moarns betiid soene se de earste
kuiertocht meitsje op it eilân, hjoed hiene se noch frij.
Doe't it oan 't iten ta wie, foelen der dikke drippen. Mar
net ien dy't it slim fûn, want se sieten binnendoarren.
It wie in bêste bui, mar lokkich wie 't krekt wer droech
doe't se wer oan board moasten. Doe't se oer it dek rû-
nen, wie der ien fan 'e hoppers dy't sei dat ien in boek
yn 'e rein lizze litten hie. Ferhip, dat wie har boek! It
iennige nije dat se meinommen hie!
Mar doe betocht se har ynienen: eins is sa'n fersutere
boek ommers dûbeld eilânkultuer.

Goeienavond, mevrouw

'Goeienavond, mevrouw.'

'Is dit wer sa'n enkête?'

'Nee hoor, het behelst hier een onderz...'

'Dus toch wer sa'n ferrekt ûndersyk; ik hoech gjin hypteek.'

'Mevrouw, mag ik het uitl...'

'Nee, want dat haw ik net oan tiid!'

'Zal ik op een ander tijdstip terugb...?'

'Nee, dat al hielendàl net. Ik wol it leafst dat jo my út it bestân helje en my gewurde litte ûnder iten.'

'Maar het is wel het tijdstip dat u thuis bent!'

'Ja, dat is 't him no krekt: dan bin 'k ris in kear thús en dan belje der sokke hampelmannen as jo. As ik ergens ferlet fan haw, nim ik sèls wol kontakt mei jo op, jo hoege my net te beljen.'

'Maar dat kan ik toch niet weten als ik u bel, mevrouw?'

'Dêrom sis ik it no dochs? Ik hoech gjin hypteek, gjin sparfoarm, gjin griene stroom, net sa'n stofsûger dy't alles kin, gjin abonnemint op in tydskrift, gjin proefnûmers fan puzelboekjes, gjin fergese hûnebrokken en gjin ADSL-ferbining, snappe jo it no?'

'Kunt u daar dan zonder, mevrouw?'

'Dêr giet it my net om: skriftlike reklame kin ik sa by 't âld papier donderje, mar dat kin ik mei jo net dwaan. Dit is in ynbrek op de privacy, jo dogge in oanfal op myn húslike sfear, jo binne in ynkringer. As ik wat fan jo ha wol, nim ik sels wol kontakt op. Ik bin wend om myn eigen boadskippen te dwaan, snappe jo? Ik wol hielendal net mei jo of jo produkten yn 'e kunde komme, ik pas!'

'Maar we hebben net zo'n leuke aanbieding, mevrouw, en die loopt u mis, als u mij de kans niet gee...'

'Is 't no út of net, ik wol net. Hoe soene jo it sels fine as jo te pas en te ûnpas opbelle wurde?'

'Dat gebeurt niet, want op die tijden zit ik op m'n werk.'

'Ja, dat tocht ik al: jûns ûnder itenstiid oant in oere as tsien, tink? En fertsjinnet it oars wat knap?'

'Nou, als ik een paar bedrijfsspaarregelingen verkoop wel hoor, wij werken met courtages.'

'Toe mar, no en hoe selektearje jim de minsken, ha jim de gegevens fan de belestingtsjinst derby om te sjen wa't jild hat?'

'Mevrouw, wat denkt u wel niet, dat zijn vertrouwelijke gegevens! Wij prikken gewoon namen uit het telefoonboek.'

'O, no wol ik it wol leauwe wêrom't safolle minsken in geheim nûmer hawwe!'

'Die worden inderdaad niet door ons benaderd.'

'Mobile nûmers belje jim ek net, seker?'

'Nee, daar kunnen we niet aan beginnen, natuurlijk.'

'Dus omdat ik sa stom bin dat ik noch mei myn namme en telefoannûmer yn de telefoangids stean, wurd ik lestichfallen.'

'Nee, mevrouw, u wordt benaderd voor een telefonisch onderzoek.'

'Mar wêrom moat elke maatskippij my dochs altyd ha?'

'Hoe was uw naam ook alweer?'

'Ja hallo, jo wolle dochs net beweare dat jo myn namme net al lang foar jo op 't skermke hawwe te stean?'

'Nee mevrouw, ècht niet, dat heeft met uw privacy te maken.'

'Och heden, dus no is der ynienen privacy? Dat ik sit te iten is net privee genôch?'

'Mevrouw, pas als u besluit aan ons onderzoek mee te doen, worden uw persoonsgegevens ingevoerd, niet eerder.'

'Ja, no snap ik it, wêrom oft ik hieltyd wer belle wurd. As ik beslút om ien kear mei te dwaan, wurd ik dan net wer belle?'

'Zo zit het, mevrouw, dan zit u bij ons in het bestand en dan blokkeert de telefooncentrale uw telefoonnummer en wordt u niet meer door ons benaderd.'

'Troch jim lestichfallen, sille jo bedoele. No, sis it mar, hoe lang duorret sa'n ûndersyk?'

'In tien minuutjes is het gepiept hoor, zullen we dan maar van start gaan?'

'Ja, toe dan mar. Fine jo it goed as ik sa no en dan in hap yochert nim?'

'Tuurlijk mevrouw, moet kunnen!'

It stel

Tiny sjoude har in breuk mei har swiere boadskiptas, in koer mei grienteguod en dêr boppe-op nochris in selsbakte cake. Se joech har even del op it bûtendoarbankje neist it kanaal, plante har lading derneist en rôle mei de skouders. Sa, dat siet noflik. Sjoerd ferwachte har ommers noch net, se hie in bus earder nommen, sa hie se noch moai even wat tiid foar harsels.

Hoelang koe se Sjoerd no, trije moanne? It hie har begrutte dat er eins noait waarm itèn sea. Hy iet in pear kear wyks yn syn 'stamkafee', sa't er dat neamde, en folde de dagen dertusken mei bakte aaien op in dûbel stik bôle.

Se hie him opdien fia de kontaktadvertinsjes. Ja, in kontaktadvertinsje, wa hie dat no tocht? Dêr hie se earst wol wakker tsjinoan hongen om har dêrmei te bemuoien. Likegoed lies se alle sneonen de advertinsjes fan A oant Z. Op in kear wie der sa'n moaien by, dat doe hie se it mar weage en skriuw derop.

Unwillekeurich kamen har wer flarden fan 'e tekst yn 't sin: 'Ik bin in Bourgondiër en in bytsje te dik, keal, iensum en loai, mar ik ha wol humor, bin leaf, sosjaal, húslik, sjarmant, in goed gasthear, earlik, betrouber en bin op syk nei in leave, fersoargjende, spontane en romantyske freondinne foar út en thús om tegearre te genietsjen fan ús jûnslân.'

34

Wat der doe allegear wol net troch har hinnegien wie, wie aldermâlst. Yn gedachten hie se in oanklaaipop fan him makke. In kelner mei in búkje, skuon út, fuotten op 'e tafel, krante fan 'e bank ôfglide, en de kofje kâld wurde litten op it bysettaffeltsje. Dit is ien dy't op in sjarmante wize sizze wol dat er in húshâldster siket, ien dy't net oer it allinne wêzen kin, hie se beprakkesearre. Of wie se no tefolle befoaroardiele? Likegoed liet de advertinsje har net wer los en eardat it wykein om wie, hie se in kreaze brief skreaun en him jûns foar achten noch op 'e bus dien, sadat er noch moai mei de wykeinpost meikoe. Se hie der in fleurich fakânsjekykje fan de lêste Rynreis by yn dien. Op dy foto stie se wat yn 't skaad, mar koest sjen dat se moai brún wie, en mei sa'n fleurich bloesonjaske oan, seachst de sloppe earms net. Ast santich-plus wiest koene koarte mouwen net mear, dat stie sa ûnsmaaklik, fûn se. Wat soe er derfan fine?

Hoelang hie it ek alwer duorre, ear't er har opbelle hie? In dei as fjouwer mar. Skriuwen wie net syn sterkste, dêrom hie er mar sa frij west om har namme yn it telefoanboek op te sykjen, dat sadwaande belle er har. Tiny fûn ek daliks dat er in oangename, waarme stim hie. Dat wie èk wat wurdich. Moatst dy ris yntinke as ien fuort al mei sa'n knerpende stim oan 'e telefoan komt. Nee, dit like net sa min. It petear hie eins net ien kear stûke en dêrom praten se ôf om inoar op fêste dagen te beljen.

Dat betearde goed. Tiny fielde har flaaike troch syn op-
rjochte belangstelling foar har, en Sjoerd wie bliid dat
Tiny him ek sa út en troch ris opbelle foar in praatsje.
Nei in wike as wat besleaten se dat it der no mar fan
komme moast en sjoch inoar yn 't echt.

Wat hie se senuwachtich west. Se doarde net nei de
kapper, want dat fûn se no krekt wer wat oerdreaun,
mar likegoed hie se der al in nij blûske oan weage, se
woe al kreas foar 't ljocht komme. Se hiene ôfpraat yn
in rêstich restaurantsje op healwei fan harren beide
wenplakken. It pakte goed út en sy sieten beide lekker
oan in snytseltsje mei bakte ierappels en wat pûltsjes.
Sa't se al sawat tocht hie, fertelde Sjoerd oer syn frijge-
sellebestean, en dat dêr gjin plak yn wie foar itensiede-
rij. Foar har wie sa'n libben dreech foar te stellen; oan
itensieden hie sy no krekt in soad niget. Dus je soene
sizze dat se moai wat oan inoar ha koene: sy sea tenei
foar publyk, en hy krige thús in restaurant.

Foar't se it wist bea Tiny oan dat sy yn syn keuken
wolris in miel iten foar harren beide siede woe. Dat
like Sjoerd wol wat ta, al seach er al wat pynlik om
him hinne, krekt as wie er gjin besite wend. Der waard
ôfpraat dat Tiny op in sneontemiddei yn maart nei
syn hûs yn Harns takomme soe om dêr in feestmiel yn
inoar te flânzjen.

Hjoed wie it dus safier. Sy soe foar it earst nei him
thús ta en nei de tee har postearje yn 'e keuken om op
syn pitten in hearlik mieltsje te sieden. Se hie dagen

dwaande west om in menútsje op te stellen dat by in Bourgondiër as Sjoerd yn de smaak falle soe. Wat soe er op foarrie ha en wat moast se meinimme? Se hie him dêr net oer belje wollen, mar oan 'e oare kant koe se op har leeftyd fansels net al tefolle getôch mei de boadskippen ha. Hy soe dochs wol sâlt en piper en soks yn 'e hûs ha, net?

Se soe dy kant mar wer út. Se krige de pakkelaazje wer fan 'e grûn en rûn de kant út fan syn hûs. Hy hie har dúdlike ynstruksjes jûn hoe't se rinne moast, dat it soe wol goed komme.
Nei in skoftsje besaude se har deroer dat it sa'n ein rinnen wie; wie it bûten Harns dan? Se socht yn har taske om it briefke dêr't se opskreaun hie hoe't se fan de bushalte ôf rinne moast. Wêrom hie se no ek wer sa eigenwiis west en kom in bus earder? Sjoerd like har echt sa'n type dy't har mei alle wille even fan 'e bus helje soe. No tôge se har út 'e naden, ommers.
Stil! Hjir stie in strjitnammebuordsje. Ja hear, hjir moast se wêze. Beret krige se de tassen wer op en telde de hûsnûmers ôf. Foar in lyts húske bleau se stean. Dit moast Sjoerd sines wêze. Se seach him omheechsjitten út 'e stoel wei. Se hoegde suver hast net oan te beljen, of dêr hie er de doar al iepen swaaid. 'Tiny, dêr bist al, kom der mar gau yn, koest it wat fine?'
'Ja hear, mar ik hie al tocht dat it wat tichter by de bushalte wêze soe.'

'Ik hie dy oars ophelje wold, mar hjir bist al.'

'Ja, ik wie der klear foar, dat ik tocht; ik gean dy kant mar op.'

Nei it jasoannimmen troaide er har mei nei de keamer. In echte manljusynrjochting, seach se wol en it rûkte ek wat eigenaardich. Likegoed die it gesellich oan.

Nei it teedrinken woe Tiny wol los mei har missy. Dat hoegde om Sjoerd no net daliks, mar Tiny stie der op oan, dat hy gie har foar nei de keuken. No ja, keuken, dat wie eins tefolle sein; in krûpyntsje, mear wie 't net. Mar dat wie it slimste net: de skrik sloech har om 't hert doe 't se op it graniten oanrjocht in trijepoat en in âlderwetsk petroaljestel stean seach. Dat hie se niiskrekt rûkt fansels: petroalje! Net te leauwen, wêr wie se hjir bedarre?

'Sjoerd, hastû net in fjouwerpits gasstel, jonge?'

'Nee, ju, ik sied dochs noait iten; in aai bak ik op de trijepoat en as ik kofje of tee makke ha, hâld ik dat waarm op it stel, sjochst?'

Krimmenikus, as in holbewenner toarke dizze man hjir om. Neat gjin wûnder dat er ien nedich hie dy 't him fersoarge, dy 't op him paste, sis mar.

Dêr stie Tiny mei har bakje grotsjampinjons, har pûdsje mozzarellatsiis, har droege tomaten op oalje, har farske pasta en har bargehaskes dy 't se by de slachter besteld hie. It wie noait liker as moast se lykas jierren lyn op in kampearfakânsje op in butagassteltsje in ienpannegerjocht tameitsje.

38

Troch in lyts rútsje seach se in reinwettersbak stean. No wist se ek wêrom't de tee sa apart smakke hie …

Mar no wie se dochs wol benijd hoe't Sjoerd it foarinoar krigen hie om sa'n kreaze kontaktadvertinsje op te stellen foar de krante, want soks ferwachtest net daliks fan ien mei in petroaljestel en in reinwettersbak. Sy soe it him no mar op 'e man ôf freegje: 'Sjoerd, sis my no ris earlik, hastû sels dy advertinsje wol skreaun?'

Hy krige in kaam en stammere: 'No s-sjoch, dat h-hat Aukje, de eh …. b-buorfrou dien. Sy h-hie der in bytsje har n-nocht fan om foar my te itens-sieden, en dat ik dêr om 'e oare dei iet. Ik moast mar om in oare b-brij-sieder sjen, sei se.'

Kastrûmte

As se de pailletsjes derôf sloopte, hie se in moai stikje giele side, in goeie rits èn prachtige pailletsjes om op in himdsje út 'e oprûming te naaien en om te tsjoenen ta in eksklusyf útgeansgefaltsje. Karin beseach it ôfpriizge kessenhoeske foar de twadde kear oan alle kanten en fûn in euro krekt in moai pryske.

Sjoch, oare minsken seagen in kessensloopke as in sloopke. Sy net: yn in gerdyn seach sy in tafelkleed of in grand-foulard. Yn in dûsgerdyn seach se in reincape foar in besite oan in iepenloftspul as de loft wat drige. Sy wie gek op bakken mei oanbiedings: graaibakken, neamde sy se. Miskien in bytsje ûnrespektfol, mar sa fielde se it net.

De winkellju waarden troch har fan de winkeldochters ôfholpen en dat beskôge sy as in goeie died. Bakken mei superkoopjes dêr hie se ûntsach foar. Se besocht de oanbiedings altyd mei oare eagen te sjen. Der altyd wat oars yn te ûntdekken as it doel dêr't se foar or-nearre wiene. Soms kocht se ek op 'e dolle rûs, mei de achterlizzende gedachte dat se der 'oait' noch wolris wat mei koe.

Hoe faak hie se it al net belibbe, dat se earst net wist wat se der mei moast en neat kocht hie. Underweis nei hûs wiene har dan faak de briljantste ideeën yn 't sin kaam. As se dan de oare deis werom gien wie, wie it betreffende artikel fuort fansels. Dan koe se har wol foar de kop slaan. As de priis net withoe heech wie, naam se tsjintwurdich gauris wat mei dêr't se earst noch net rjocht fan wist wat se der mei moast. It kaam hast altyd wolris fan pas.

Karin koe ek hast net ôfstân dwaan fan klean dy't te lyts wurden wiene, of út 'e moade rekke wiene. Ier of let koe se alles wer brûke. Soms moast it fermakke of ferknipt wurde en waard der hiel wat oars fan makke, mar it hie wer doel. As der ien kear yn 'e moanne 'grof vuil' by de dyk delset wurde koe, wie sy fan 'e partij. Se die dan krekt as gie se in slach om te kuierjen, mar wilens seach se goed om har hinne oft der neat fan har gading oan 'e dyk stie.

Har man hie har suver ûnder kuratele steld. As se wat sjoen hie dat har wol de muoite wurdich like, koe se it earst mar mei him oerlizze foardat se it mei nei hûs tôge. Eins hie er ek wol gelyk: se hiene te min kastrûmte. Eins hie se hielendal te min rûmte, sawol yn it hûs, as yn de garaazje as op 'e souder. Sa njonkenlytsen bleau der ek foar harsels te min earmslach oer. Alles wat se sa deistich opskarrele, moast thús wol wer in plakje fine fansels.

No hie se okkerdeis yn in boekwinkel foar ien euro in boek oer relaasjes oanskaft. "Op weg naar de gouden bruiloft." Neffens de skriuwers, in echtpear fansels, wiene der dingen yn in houlik dy't universeel en sûnder hâldberheidsdatum wiene. Inoar frij litte, mienskiplike

41

ynteresses hawwe en iepen stean foar inoars ideeën bygelyks. Net ferrassend fansels, mar likegoed sa wier as wat. Se hie betocht dat har eigen man net mear ynteresse opbringe koe foar har sammelderij en dat sy net genôch stil stie by syn ferlet oan rûmte. Se snapte it wol, mar koe har wize fan libjen net feroarje. Wer fuortsmite wat se sels mei safolle leafde oantúgd hie, dat kòe se gewoan net.

En doe hie se betocht dat der op 't heden ek wol fan sokke oprûmburo's wiene. Dan kamen der minsken by jin thús, dy't dan it hiele hûs neiseagen en sawat alles fuortmiteren. Soe sy soks doarre? Miskien as in oar regaad makke, dat it dan makliker wie. Ien dy't der nochteren tsjinoer stie en kritysk fuortsmiet wat fuortkoe. Miskien wie dat de baas. Mislearre it, dan koe se altyd dy minsken de skuld jaan en hoegde se harsels of har man neat te ferwiten.

Aanst soe har man in wike op wurkwike mei in groep bern fan skoalle. Mooglik koe der dan ien fan sa'n buro komme te flying-dokterjen. Se socht yn de giele gids en fûn wat se socht. De minsken fan it 'ôfskied mei belied'-buro hoegde se net folle út te lizzen. Sokke minsken wisten fuort wêr't se it oer hie.

Doe't it oan de wurkwike ta wie, draaide der in grutte kontenerauto by har op 'e oprit. Under it kofjedrinken waard der skriftlik fêstlein wat absolút net fuort mocht. No ja, dat wiene saken as foto's, rydbewizen, paspoarten, folle segelboekjes en rapporten fan de bern. Fierders koene de oprêders harren gong wol gean om har. O ja, de angels fan har man, dy't yn in hoeke fan 'e wenkeamer stiene, mochten ek net heal fuort fansels.

En doe wie sy te winkelje gien. Dat koe no moai, want as se thúskaam hie se fansels wer genôch kastrûmte om har nijste oankeapen yn op te bergjen.

Lokkerke

Op it wurk hold se it net langer út, dêrom hie se in oerke opskreaun en wie nei hûs tastrûsd. Justerjûn nei tsienen wie har kompjûter brocht en wer oansluten. Einlings hie se him wer yn 'e hûs! Mear as fjirtjin dagen hie er fanwege in crash by de reparateur west. It tekstferwurkjen en de e-mail wie it slimste noch net iens, mar it byhâlden fan har web-loch hie ek salang stillein, en dat wie foar har neat minder as in ramp. Se hie fannacht wol achter de kompjûter sitten bliuwe wollen, safolle hie se yn te heljen en by te wurkjen, mar har man Johan hie in bytsje nitelich opmurken dat se de oare deis al wer fit wêze moast om nei it wurk ta.

No koe se har âlde gewoante wer oppakke. Gelske strûpte de jas út en hong dy oan 'e kapstok yn de gong en draaide dêrnei de knop fan de hiteluchtferwaarming omheech, want foardat de hiele húshâlding thúskaam, moast it hjir al wat oangenaam wêze.
Earst nei de keuken om yn de kuolkast te sjen oft se de foarige jûns wol fleis út 'e friezer helle hie. Dat wie gelokkich sa, dan hoegde se net mear nei de winkel. Mei de griente rêden se har jûn wol. Der stie ek noch in plestik bakje mei oerbleaune seane ierappels yn 'e kuolkast gelokkich. Mei in foldien gefoel gie se achter de kompjûter sitten en klikte gau it ynternet-ikoantsje

oan. Rêd toetste se de behearpagina fan har web-loch yn en tikke de begjinletters fan har namme yn it lege balkje. It wachtwurd hoegde se no allinne mar oan te klikken, dan waard it al aktivearre. Gau logde se yn.

It duorre even ear't der ferbining wie. Drok op it net, tink. Wie meastal sa tusken fiven en seizen middeis. Der soene wol mear minsken lykas har wêze, dy't as se thúskamen út it wurk wei, gau even bloggen. Aha, dêr kaam har behearside yn byld.

Earst gie se nei de statistiken om te sjen hoefolle at der juster har deiboek lêzen hiene: twaëntritich. Net folle, mar ja, trochdat de kompjûter sa'n skoft stikken west hie, wiene de measte lêzers ôfheakke fansels. Ast publyk ha wolst, moatst fansels wol mei in foarstelling komme.

De web-side moast ek nedich opnij yndield wurde: links de aginda, it deiboek yn 'e midden en dan koe der rjochts wolris in poll op. No ja, fan letter soarch, earst mar gau wat yn 't deiboek skriuwe.

Gelske makke in nij bestân oan en typte de datum fan hjoed yn. Automatysk rattelen har fingers op it toetse- boerd om. Se hoegde de toetsen mar ûnder de fingers- einen te fielen, of it gie suver fansels. Wat hearlik dat dy kompjûter it wer die. Soe se no ferslave wêze of net? Se koe der wol om laitsje, want dan wiene der wol slim- mere ferslavings te betinken. Mar as se earlik wie, hie it wol wat fan in ferslaving.

De earste dagen sûnder it wrâldwide wûnder hie se har

45

op sitten te fretten omdat se neat koe, mar doe't der in telefoantsje fan de kompjûtersaak kaam dat it allegear wolris langer duorje koe as ferwachte, hie se besocht har der ûnder del te jaan. Dat foel lykwols net ta, want wat moast se no jûns, no't se net op ynternet strune koe en sadwaande har web-loch net bywurkje?

Fansels joech har drokke húshâlding mei twa puberjende bern genôch drokte, mar dochs wie se it sa wend om deis in pear oeren foar harsels op de kompjûter te ferbliuwen – of better sein: yn de kompjûter. Sietst achter de kompjûter en foar de televyzje, nuver wie dat. Mar omdat sy bepale koe wat der op it skerm te sjen wêze soe, fûn sy eins dat sy yn de kompjûter siet. Sy fuorre it brein.

As sy oan har web-loch siet te wurkjen, fielde se har hearlik, it joech har echt in kick. Wat der al en net troch har opset waard, hoefier at se gean woe yn de digitale kennis-oerdracht, dat hong alhiel fan harsels ôf. Sels baas wêze, dat wie it. It joech in soarte fan machtsgefoel dat sy mei noch in stik as wat oare Fryske skriuwers it digitale ferkear libben hold, mei har eigen taal, in soarte fan stakkato-Frysk foar minsken dy't wend wiene oan koarte stikken tekst.

Yn 't earstoan, doe't se krekt mei in eigen web-loch fan start gien wie, hie se net trochhân hoe'n ympakt as it publisearjen op ynternet hie. Ut grutskens dat sy as heale digibeet it dochs mar foarinoar krigen hie om sels in web-loch oan te meitsjen, hie se har web-adres hjir en dêr dropt. Doe hie se noch sa nayf west om der net by stil te stean dat de lju dy't har op saken oanspriken, de ynformaasje út har eigen digitale reservoir helle hiene. Se koe der ek mar bliksems om tinke wat se der op sette.

Har heit hie har der eartiids al foar warskôge: Watst tsjin ien seist, is letter minachtich te achterheljen, mar watst ien kear swart op wyt hast te stean ... Syn goerie jilde hjoeddedei noch altyd, dat wist Gelske mar al te goed. Ast hiel lang lyn in trimtocht dien hiest dêr't se lije poeiermolke ferkochten, en dû hiest dêr op ynternet wat fan sein, no, dan koest dêr jierren neitiid noch op oansprutsen wurde. Dêr sietst dan moai mei oantangele. Fansels koest in loch noch wol wer feroarje, as de ynhâld dy letter net mear oanstie, of ast, lykas har al in pear kear oerkaam wie, ûnder kuratele steld wiest, mar eins wie dat de bedoeling net. Skreaust in stik tekst en lietst oaren der op reagearje.

Se dage it systeem ek wolris út. Dan gie se der sneons yntiids ôf, klapte gau wat op har web-loch en hold dan it oantal hits sekuer yn 'e gaten. As der fyftjin west hiene, makke se de loch wer leech en skreau der hiel wat oars op. As deselde besikers jûns noch even op har web-loch omstrúnden, krige se gauris in reaksje wêrom't guon bewearingen der net mear op stiene. Dan hiest de digy's wer even moai te pakken. Wol spitich dat sokken net meitelden by de 'unike besikers', mar dat wie dan net oars.

De fêste besikers wisten dat se wykeins bytiden wol trije kear in oanfolling skreau op itjinge wat der earder skreaun wie; it wie dè manear fansels om har publyk oan 't lyntsje te hâlden en om in moai grut tal 'page-views' te krijen. Dêr wie it har fansels om te dwaan: om it paad waarm te hâlden en har besikersoantallen yn in stiigjende line te krijen.

Nei de crash hiene de besikers earst nearne euvelmoed yn en skreaunen frijmoedich op har web-loch. Doe't der de oare deis net in nij deiboek oanmakke wie, wiene der feraltrearre reaksjes op kaam. Wêr bleau sy, wie se siik? Hie se it te drok? Yn de rûnten dêr't sy har live yn bejoech, berikten har de earste ferûntrêste lûden. Tsjin harren koe se sizze dat se maleur mei de kompjûter hie, mar foar de minsken dy't har allinne digitaal koene, wie se ûnberikber, foar dyjingen koe se neat dwaan. Of dochs? Op in oare kompjûter?
Se djippe har kompjûterútdraai mei har wachtwurd-gegevens op en naam dy de oare deis mei nei 't wurk. Se hie de wekker in healoere betider op 't ôfrinnen hân, want se woe har net skuldich fiele as se yn 'e baas syn tiid siet te bloggen.
It fielde frjemd om op kantoar oan har web-loch te wurkjen, mar se koe der alteast gau even wat opsette om de ûngerêstens, en fan guont ek suver lilkens, fuort te wurkjen. It wie ferliedlik om te skrollen en alle berjochtsjes dy't yn de tiid fan har ôfwêzigens

pleatst wiene, ek allegear troch te lêzen en stik foar stik persoanlik te beäntwurdzjen, mar dat koe se echt net meitsje. Har publyk moast it der sa mar mei dwaan, mei dy iene meidieling dat der oan wurke waard, mar dat sy net wist hoelang at har absinsje noch duorje soe. 'Even geduld a.u.b.', krekt as op it testbyld eartiids; dan waard in televyzjeprogram ek altyd ûnderbrutsen foar sa'n neatsizzende meidieling. 'Storing', stie der dan ek noch by, en dan bleaust der ek noch braaf by sitten te wachtsjen. Yn gedachten seachst allegear minsken dy't twa stikjes film wer oaninoar lasken, sadatst it program fierder sjen koest.

Doe wie der noch gjin gezap, nee, ast in oar net sjen woest, hiest mar ien mooglikheid: nei de televyzje ta rinne en him op it oare net knippe. Nederlân ien en twa, mear smaken wiene der net. Wat hie it doe noch hearlik oersichtlik west.

Mar goed, no moast se der wurk fan meitsje om de be-sikers dy't yn de fjirtjin dagen ôfheakke wiene, werom te krijen. Se beseach nochris de reaksjes dy't der krekt foar de kompjûtermisêre west hiene en dyselden dy't har oppenearren no't se werom wie.

No't har man jûns sa faak fuort wie te toanielspyljen, hie se faker as oars de beskikking oer de kompjûter. No ja, dat wol sizze: jûns nei healwei tsienen, omdat de bern noch faak húswurk meitsje moasten mei help fan de kompjûter, of noch even op MSN moasten. Dêrnei fleagen dy nei bûten, om noch in oere yn 'e buorren om te hingjen. Dat joech har dan moai de gelegenheid om har even noflik del te jaan achter har platte skermke.

'Hea, bist al thús?' Johan sette syn tas yn in hoeke en die de jas út. Hy knipte daliks de tv oan en rûn de gong yn om te sjen oft de krante al op 'e matte lei.

'Ja, ik ha in oerke opskreaun. Hoechst net mei 't iten oan 'e gong?' begûn Gelske.

'Ik tocht datstû dat al dien hiest, dû bist dochs betider thús?'

'Ja, dat is sa, mar it is dyn dei, mantsje, it is hjoed tiisdei!' gie Gelske troch, wylst se de eagen net fan 't skerm helle.

'Dit wurdt in djoer stikje ast der oeren foar opnimst,' sei Johan suver in bytsje noartsk wylst er nei de by-keuken rûn om ierappels yn in tobke te sykjen. 'Wêr binne de bern, dy kinne wol even ierappelskile.'

'Der binne noch wol âlde ierappels, dy 't opbakt wurde kinne en kinst wol griente út 'e friezer krije, dan hast hjoed in makje, Johan.'

'Dat soe my wol ferrekte goed útkomme, want ik ha jûn in gearkomste fan de fûgelwacht.'

'Ik moat ek fuort, mar ik woe sa graach earst even op myn web-loch.'

'Ja, dû hast der op 't lêst ek salang sûnder moatten. Mar eh ..., wa is dy 'Strúnder' op dyn loch eins?'

As Johan skoft hie op it wurk, seach er steefêst even op har webloch. Dan beseach er gau wat sy skreaun

hie. Hiel lang lyn, foar har gefoel sa'n bytsje yn 'e pre-
histoarje, doe't se noch gjin kompjûter hiene, hiene se
briefkes foar inoar klearlein, mei de meast útienrin-
nende teksten, no kommunisearren se fia har web-
loch.

'Strúnder?'

'Ja, hast it net sjoen? Dy freget wêr'tst weikomst,
wêr'tst froeger wenne hast en alles. Hy wol witte astû
dy Gelske bist dy't al ris neaken oer it sportfjild draafde,
doe't de skoalle yn Dokkum fyftich jier bestien hie.'

'O dy,' lake Gelske stikem. Ynienen krige se in idee. Se
waard der hielendal oars fan.

'Ja, dy. Wa is dat?'

'Wit ik net. Ik ha him in mailtsje stjoerd dat er him,
of dat sy har, earst mar bekend meitsje moat, ear't ik
dêr op yngean.' Se fertelde der mar net by, dat se fuort-
daliks trochhân hie wa 't it wêze moast.

'Tink der mar om, aanst hast in digitale stalker.'

'As ik myn nocht ha, helje ik dy reaksjes der wol ôf.'

'Aanst kinst oan 'e gong bliuwe, dan is 't sa'n ien dy't
oerdei neat te dwaan hat en oars neat docht as be-
rjochtsjes by dy achterlitte.'

'No meist om my wol ophâlde te lekskoaien, ik moat
de kop der even byhâlde, ik wol foar iten dit stikje
ôfmeitsje, snapst?'

'Dat kin nei iten ek noch wol, net?'

'Nee, dan moat ik fuort ommers, dat ha 'k dochs krekt
tsjin dy sein?'

'Wêr moatst no wer hinne te jachtsjen?'

'Dat lêst jûn letter wol op myn web-loch, dêr bist ommers dochs net wei te slaan!' makke se in ein oan syn neigeanderigens.

Se breide in akseptabel ein oan har loch en sloech it ferhaaltsje op. Gau noch even sjen hoe't it der op stie. O, sjoch, op har stik fan justerjûn hie se noch wer mear reaksjes krigen. Skande dat se it no net oan tiid hie om dy troch te lêzen. Mei in sucht fan teloarstelling en it is net oars, sleat se de kompjûter ôf. Se hie der no al nocht oan om fan 'e jûn let it lokkerke dat se krekt betocht hie, op har web-loch te setten.

Doe't it iten dien wie en de jonges ôfset wiene de buorren yn, hie se mei har man noch in senseootsje hân en doe wiene se beide in oare kant opgien. Mei in ferlechje soarge se derfoar dat se in oere as tsien wer thús wie en skode daliks achter har kompjûter, o nee, deryn. Se soe har webloggers even lekker wekker skodzje. Wêr wie dat digitale kameraatsje fan Michiel dat er koartlyn byinoar fertsjinne hie mei 't folderjen? Se seach him yn 'e keamer lizzen en krige it behindige dinkje op. It moaie hjiroan wie dat it sa hearlik maklik te betsjinjen wie. Sieten de gerdinen wol goed ticht? Hoe let soene de jonges weromkomme? Dy wiene oars ek noait foar healwei alven wer yn 'e hûs, dus dat soe al raar komme, as dy no ynienen om tsien oere paraat wêze soene. Johan kaam grif ek letter thús, want as sa'n fûgelwachtgearkomste dien wie, moast it praten oer al dat fearreguod fuortspield wurde mei in pilske en leafst mei in pear mear. Se skode de lins nei foarren om yn te zoomen en kontrolearre oft de batterijen opladen wiene.

Neffens har wie alles der klear foar, no sy sels noch. Handich strûpte se har H & M-bloeske, it siden himdsje en de optriuwbeha út. Doe har klokrok, de suède learzens, de fantasypanty en har slipke. Dit moast net te lang duorje fansels, hjir op dy kâlde tegels. Ris sjen oft se it noch koe.

Se drukte op de opnimknop en hold mei de rjochterearm it kameraatsje sa fier mooglik fan har ôf, wylst se dravende bewegings begûn te meitsjen. Echt omdrave en fleane koe fansels net, se moast de suggestje wekke dat se neaken omfleach. Sa no en dan brocht se har gesicht in tel foar de kamera, knipte dan wer in foto, om it mystearje noch wat grutter te meitsjen.

Doe 't se fyftjin tellen yn uterste konsintraasje oan it droechdraven west hie, hie se wol genôch foto's sketten, tocht har. Se luts it ûnderguod en de klean wer oan en liet har mei in uterst foldien gefoel op de burostoel delfalle.

Se socht it ferbiningskabeltsje en sleat de kamera op 'e kompjûter oan. Nokkerjend seach se allegear wibeljend fleis foarbykommen op it skerm. Se wie ûnwerkenber, dit soe in goeie grap wurde. Se sloech de sân foto's op yn it bestân 'Gelske' yn 'Mijn afbeeldingen' en

kopiearre se doe nei in digitale foto-akkount op ynter-
net. Dat moast, oars koe se gjin foto's op har web-loch
pleatse. Hastich gie se de hannelingen nei en drukte
mei de rjochtermûsknop op 'plakken' sadat de earste
foto op har digitale parkearplakje kaam te stean. Ien
foar ien sette se de foto's der op.

Gau gie se nei de statistiken. De teller stie op 36, in
pear mear as fannemiddei, mar it mocht gjin sprekken
lije. Moai dat se de foto's allegear ûnder inoar set hie,
dan moasten de besikers in hiel ein nei ûnderen mei
de mûs en dan kamen der hiel wat yn har elektryske
mûzeholtsje telâne!

Om de tiid te koartsjen, koe se har mailboks wol even
neisjen. Se gie de ynkommen mailtsjes bylâns en seach
dat der suver krekt in Ingelsk mailtsje ynkommen wie.
Meastal klikte se dy daliks fuort, mar der wie wat yn 'e
titel, dat makke dat se him dochs mar iepene.

'Hello, Gelske van der Meer, is that your body, that's
moving about? Thanks a lot.'

In nij mailtsje flikkere oer 't skerm. 'Nice porn, miss.'

Hoe koe dit, hoe koe se no Amearikaanske mails krije
nei oanlieding fan dy foto's?

O God, ynienen krige se it troch, se hie fansels net
oanjûn dat se 'private' wiene. No koe elke gek de foto's
besjen en der mei dwaan en litte wat hy of sy woe. Se
toetste gau wer de foto-side yn en gie nei har digitale
foto-album. Ja, dêr hiest it al. Gau markearre se de lêste
sân plaatsjes as privee. Nee, sy moast se der hielendal

ôfhelje fansels, dan koene oare besikers fan dizze foto-side de foto's net mear kopiearje, omdat de foto's net mear opslein wiene op ynternet. Of al? Se waard der hielendal senuwachtich fan, hoe moast se hjir mei oan? It wie as geintsje bedoeld om mear besikers nei har web-loch te lokjen. Se hie it der in healoerke op stean litte wollen en dan der gau wer ôfhelje.

Yn de bykeuken hearde se gestommel, dêr soest de jonges ha. Se hiene de measte wille, mei harren mo-byltsjes dy't se iepenklapt holden, doe't se de keamer ynrûnen: 'Hee mem, wy mar miene dat mem fuort moast fan 'e jûn, mar wy witte no wol better!' liet Chris daliks witte wat der te rêden wie.

'Ferfeelde mem har wat fan 'e jûn, of wie de kachel op hol slein, dat mem wat klean útlutsen hie?' sei Michiel.

'Sjoch, wy ha moeke op ús skermke. No wy seagen daliks dat it mem wie hear', batste Chris der achter-oan.

'Hoe komme jim der oan?' frege Gelske finaal oerstal-lich.

'Hoe't wy hjir oan komme? Richard hie in nije kom-pjûter en doe seine wy dat er mem har web-loch wol even oproppe koe.'

'Seach hy dat?' frege Gelske ûntdien.

'Nee, ik sei tsjin Chris dat ús mem ek sa'n horloazje hie mei dy pearse streekjes oer it giele horloazjebantsje. O ja, en mem hie har halskettinkje ek omholden. Wy fûnen it wol apart, want mem wol oars noait mei in foto fan harsels op har web-loch.'

'Mar hoe krije jim sa'n foto dan op it display-tsje fan jim mobyltsjes?'

'Dat is no wer it nijste hin, sa'n snoerke krigest by dy nije kompjûter kado; no koene wy it daliks even útprobearje.'

En optein fertelden se ek noch dat it Richard oars wol ferhipte moai útkaam, want hy moast krekt noch wat plaatsjes brûke foar syn wurkstik oer streaken. 'Mem wit wol: sa'n hippy-achtich ferskynsel út de sechstiger jierren.'

'Wy fine it wol stoer, hear, dat mem soks samar op har web-loch doart te setten. Dy mem fan ús. Streake hie 'k tocht!'

Liposuctia

Doe't Lisa har de jûns ris goed beseach yn de grutte passpegel, blubbere en die it allegear dat it sta sei. Se wie aardich wielderiger as dat se oant no ta wend west hie. Foel hjir noch wat op te triuwen of del te striken, of wie it allegear ta weisûgjen keard? Se hie der noait net folle euvelmoed yn hân, mar no't se de lapkes oerhingjend fel tusken tûme en wiisfinger hold, moast se harsels bekenne dat dit wol wat al te al te wie. Hjir koe gjin step-yntsje mear soelaas biede. As se harsels oanpakte, moast hjir in fiks treningsprogram mei alderhande martelwurktugen tsjinoansmiten wurde.

Mar harre-krammele, wêr skuorde se de tiid wei? Altyd like drok mei 't wurk en alderhanne bestjoeren en kommisjes. Jûns moast se ek gauris fuort, faak nei gelegenheden dêr't de pronk foar oan moast. Se keas dan ivich en altyd foar kamûflearjend swart fansels, de lingtestreken diene harren wurk, en de jaskes dy't royaal oer de kont foelen, maskearren wat weimoffele wurde moast. Mar koe se it dêr dizze simmer mei rêde? Bygelyks mei in swimpak dat moai ôfklaaide, benammen as der sa'n nijmoadrige pareo om 'e heupen hinne drapearre waard. Dy lapen foelen har as grand-foulards om 'e lea! Se fielde har krekt in oerklaaid bankstel as se mei dy foddeboel omavensearre. Mocht se net gewoan yn in bermudabroek, mei deeglike bokskes,

57

dêr't de brobbeltsjehûd noch ridlik troch bedutsen bliuwe koe?

Mismoedich strûsde se de klean wer oan, sjokte de treppen del en siigde op 'e bank del. Gedachteleas krige se in bûlevardblêd fan 'e grûn. Dat hie de kapster har lêsten meijûn. "Dan ha jo thús ekris wat." Ja, se hie thús neat, no? Dy kapster moast ris witte wat der allegear noch op har lei te wachtsjen om lêzen en mooglik realisearre te wurden: fan boeken mei nije keukens, baaikeamers, serres, oant túnrenovaasjes.

Mar goed, sa net dizze jûn. Dizze blubberjûn, sis mar.

Sa blêde se it blêd troch en nuver wie 't, mar dêr foel har each op in lytse, min printe advertinsje. 'Vet verwijderen, nu haalbaar voor iedereen.' Dus ek foar har, wie de alderearste gedachte dy't har troch de holle spoeke. Mar as se it hûs al net iens stofsûge, omdat se sa'n mislik ding hie, dêr't de slang it fan bejûn hie, fertroude sy in oar it sûgjen dan wol ta?

It liet har lykwols net los en dy nachts lei se mar wat op bêd om te wuoljen en te rôljen. Fetsûgjen, dat wie nochris wat oars as túchslobberjen. Fetsûgjen. As se oan fetsûgjen tocht, dan tocht se oan sa'n fijne rikke iel, sa'n skieren, dy't om te sûgjen wie en dêr't jins hannen noch oeren neitiid fan rûkten, sok sûgjen.

Fetsûgjen, dat wie fansels ek hiel wat oars as sânsûgjen. Dat hie har heit eartiids dien. Hy hie in sânwinnerij. Ut grutte buizen spuite sânwetter kilometers fan wêr't it wûn wie yn in sândepot. 'Gevaarlijk drijfzand', stie der dan op 'e buordsjes.

Mar fetsûgjen, hoe soe soks gean? Gie der ek noch wat oars mei, tagelyk mei dat fet? Bleau der wol wat fan har oer as se har leechslobberje litte soe? Se woe ek net wilich wurde, dat hiest wol by minsken dy't te fanatyk oan 't ôffallen west hiene. Of soe har fel begjinne te bolsterjen? Dat sei har mem eartiids altyd, as se naailes fan har krige: earst strike en dan ûnder de naaimasine troch, oars begjint it te bolsterjen. Dat moast net mei har bûk- en bilpartij barre, dêr moast se fansels goed om tinke.

Likegoed hie se de oare moarns de telefoan al gau-achtich yn 'e hannen om it nûmer te draaien fan de leechsûch-klinyk. No, wat trof dat no prachtich, se koe oaremoarn daliks al komme foar in ynteekje. "Aha, tusken de fjirtich en de fyftich, fierders goed hecht?" De ôfspraak stie notearre. Oft se ek bliuwe woe te lun-sjen, fregen se ek noch. Se servearren tige ferantwurde middeismiellen.

Op de ôfprate dei fleach se der yn har blikje hinne. Se waard ûntfongen yn in entoeraazje fan heechpoalich en finear. Wierskynlik wie ien behanneling genôch, en jawis, foar de simmer noch moai strak yn 't fel, en tuerlik, kreditkaartsje. As se noch even tekenje woe dat de behanneling folslein op eigen risiko wie, en dat se har realisearre dat de prizen low-budzjet wiene sadat der gjin tefredenheidsgarânsje ferstrekt waard. No, dat soe mei har wol wat tafalle, der koe net folle oan fernield wurde, dat it moast mar oangean.

De wyks dêrop reizge se op 'e nij ôf nei de sûgerij. Se hoegde net iens ûnder seil, it koe mei in pripke yn 'e rêch wol ta. Der waard in skermke foar har boarst pleatst, sadat se krekt net sjen koe wat de dokter en syn sûgerinnen útheefden. Se hiene yn 'e behannelkeamer in kalm salonmuzykje oanstean en sa sûze se wat fuort. Mar omdat de muzyk net al te lûd stie, wie dochs net alhiel foar te kommen dat se sa út en troch in slobberke te hearren krige. 'Flll', sa ûngefear en nochris 'flllll'.

Soene se har lekstekke? As al dy earme fetseltsjes leechslobbere wiene, soene se dan ek tichtklappe? Of koe dat allinne by longen, dat heardest wol, dat longen samar tichtklapten. Dit soe wol wat oars wêze, se hie der noch nea fan heard: tichtklapte fetsellen. Harres wiene tichtslipt, it koe der dochs allinne mar better fan wurde, net? Hoefolle liter bak- en briedfocht soe der aanst yn 'e bakjes foar 't ljocht komme?

Soe se it ek mei nei hûs krije kinne? Soe se sûnder gekheid net sa'n pear fleskes fet meikrije kinne? Miskien wie 't ek wol lekker yn 'e cake. Lichemseigen. Boppedat wie 't floeiber fet, dus grif ek noch sûn, gjin hurd fet. Soe soks ek begjinne te rûken? Wat barde der as mins-kefet op 160° mear as in oere yn 'e oven stie? Sa'n cake wie noch wol even wat oars as dyselde dêr 't sy by fersin ris wat eine-aaien trochkwakt hie. Dat wie neat net slim, dat skynden echte bakkers ek te dwaan, omdat de djerre wat gielder wie. Mar sa'n cake dy't bakt wie mei tafoeging fan echt, hûndert persint suver minskefet, dy koe eins allinne mar 'Liposuctia-cake' hjitte. Yn-ienen hie se ek al in baknamme foar it fet: slobberine! Jûn mar gauris de biologyboeken der op neislaan om de eigenskippen en de eksakte gearstalling fan minsk-lik fet út te plúzjen.

Dizze nijmoadrige keninginnesjelei bea har folslein nije kânsen. Wa betocht soks no? Net ien! Hoewol … It baarnde har yn. Aanst wie der noch ien dy't itselde al lang betocht hie en der op syn moaisten ek al ok-troai op oanfrege hie. No moast se fansels sa gau as it koe in kontrakt ôfslute mei alle fet-sûchynstituten yn 't lân, want oars koe se aanst nea oan de fraach foldwaan. Want wa woe aanst no net sa'n unike cake by har bestelle?

Op in stuit kaam der in ferpleechster op har ta dy't har ûndersykjend oanseach. Sy koe sjen dat Lisa har bloeddruk hieltyd heger waard. Hie mefrou oars dochs net leaver wat ekstra ferdôving? Wie it har eins wat tefolle? Sy moast har hielendal oerjaan, de yngreep wie hast klear. De dokter sleat no de fetseltsjes ôf en daliks soe de ferpleechster der wynsels omhinne wuolje.

Net by steat te praten, skodde Lisa de holle mar wat domwei, om de ferpleechster dúdlik te meitsjen dat se it allegear skoan yn 'e macht hie. De frou seach har poesleaf oan en doe't se in lyts pripke yn 'e earm fielde, makke se de link earst noch net, mar doe't se slûch begûn te wurden, krige se troch dat se har doch wat jûn hie om yn 'e sûs te reitsjen. Dat hie se ommers hielendal net oan tiid, se moast plannen útwurkje, har cake, har goudmyn, har ...

De dei hie al in moaie gisel makke, doe't se wer by har sûpe en stút kaam. Har búk fielde frjemd platdrukt oan: noait liker as hie der ien mei in swiere daairôle oerhinne rausd. Foarsichtich tilde se de tekken in bytsje op en koe krekt gewaarwurde dat de boppe-ein fan 'e skonken aardich tichtplakt siet mei gaaske- en ferbânguod. Har búk seach der ek nuver mummifisearre út. It tûkere en pimpere dat it sta sei. Miskien wie dat ek wol it bêste, dat se sels ek 'sta' sei en har deljoech.

In moai skoft letter tikke ien har op 't skouder: dyselde ferpleechster wer. Se woene graach in rûtine-ûndersykje dwaan om te sjen at alle lichemsfunksjes it wol diene; koe dat om har? Dan soe se no dokter der by roppe. Har pûnepoetser kaam deryn en frege hoe't se alles ûndergien hie. 'Geweldich dokter, tankjewol,' sei se út 'e grûn fan har hert. De dokter lake breedút en begûn har te ûndersykjen. Doe't er klear wie, frege er har at der noch fragen wiene. Dit wie har kâns, mar hoe klaaide se it yn, sûnder dat de man erchtinkend wurde soe? Sûnder omheljen sei se dat se it sa bysûnder fûn hie en dat se har fet sa graach as sûvenir mei ha wolle soe nei hûs ta. Hy ferluts it gesicht, krige in kleur en sei resolút dat dat net koe, omdat it fet al ôffierd wie nei in fetdepot, yn de krûprûmte ûnder de behannelkeamer. Se wist net hoe't se sjen moast, se koe ûnmooglik freegje at se hjir foar ien kear in poarsje fet weromslobberje woene út it depot wei. Dan siet it fet fan oare minsken der ek trochhinne en dat wie de bedoeling no eefkes net. Doe skeat har ynienen in stik tekst út de wervingsfolder yn 't sin dêr't ynstie dat der sa'n earste kear nea tefolle fet yn ien kear weisûge waard, omdat se dan letter altyd noch wat by-korrizjearje koene. Se frege sa kwânskwiis oft se weromkomme mocht, foar de finishing-touch. It hie har sa geweldich foldien, dêr koed er dochs wol mei ynstimme? No't se A sein hie, woe se ek noch wol graach B sizze kinne. Doe sei er dat it eins ek noch wol sa goed útkaam, want it fet hie wat tsjûk west, hy hie der te min fan weisûgje kind nei syn sin. Hy lake no teminsten wer en sei dat se mar in ferfolchôfspraak mei de assistinte meitsje moast.

Sa kaam it dat se seis wike letter al wer oan 'e Becel-buizen lei. De dokter hie yn it foarôfgeand petearke op it aljemint brocht dat er hjoed in spesjale technyk tapasse woe, dêr't er heechweardich fet mei winne koe. Hy moast ris witte, tocht se noch. Lisa sei dat se alles bêst fûn, as er it fet mar foar har bewarre, want it bleau dochs in stikje fan harsels, no? Foar de wissich-heid hie se in lege slaadoaljeflesse meinommen. De assistinte seach ferheard, mar sleat it ding wol oan op de dikste buis, dêr't alle lytskes op útkamen. Omdat it diskear wol wat pynliker wurde koe, fanwege de hegere druk dy't er útoefenje moast, hiene sy ôfpraat dat Lisa weimakke wurde soe. De anaestesist hie oan 'e hân fan har pasjintgegevens syn dosearring te pas makke en tsjinne har dy yntraveneus ta. It duorre mar even, doe begûn alles har te draaien.

Doe't se bykaam stie de dokter him senuwachtich yn 'e hannen te wriuwen by har bêd. Hy wist net hoe't er it yn gewoane minske-taal útdútse moast, mar it kaam der op del dat der wat mis gien wie. It fet wie feilleas fuortsûge, o ja sûnder mankearjen, dat wie 't euvel net. Mar omdat er de druk krekt wat te heech opfierd hie, hiene de wanden fan de fetseltsjes sa'n optater krigen, dat se nea wer fet ferneare kinne soene. Wierskynlik wie se no twongen om der har hiele libben lang in streng fetleas dieet op nei te hâlden. Die se dat net, dan soene de fetsellen dy't net behannele en dus noch yntakt wiene, tefolle útsette en dan knappe kinne.

Soe se ûntploffe kinne as se ris bûter op 'e bôle smarde? Soe se wier útinoarspatte as se ea wer in rikke ieltsje opiet? It dûzele har. Se wie sa feralterearre, dat se mar kwalik trochhie dat har yn 'e rin wei noch in plestik taske mei in slaadoaljeflesse yn 'e hannen treaun waard. Alhiel fan 't sintrum plofte se op 'e autostoel del en starte de auto. Se woe hjir sa gau mooglik wei. Thús siigde se finaal ynein op 'e bank del. Deawurch sleepte se har troch de dagen hinne. Iten hoegde se net, de narkoazesmaak heazge har noch te bot yn 'e kiel. Doe wie 't safier dat it ferbân derôf mocht.

Wat se seach, wie net te leauwen: maatsje 36! Dat sleauwe dokterke, hoesa mislearre? Man, dit frommis wie in fotomodel gelyk. Dit wie net te filmjen gewoan. Se koe wol troch in lampeglês mei har nije figuerke. Dit moast fierd wurde. By feest hearde in lekkere cake. O ja, och heden, wat hie se no wer in enerzjy. Sy soe de wrâld ris wat sjen litte. Se socht de yngrediïnten klear en seach longerjend nei har nije silikoanebakfoarm, dy 't se no moai útprobearje koe.

Dat wie my ek wat, se hie gjin bûter yn 'e hûs. Nee, fansels hie se gjin bûter yn 'e hûs, want sy hie goed ynstruksjes fan de klinyk meikrigen. Mar ho eefkes, sy hie har eigen fet ommers noch? Dat soe doch wol gjin kwea kinne? It wie har eigen fet! Optein socht se it fleske, geat in steal yn de mingelbeker en seach tefreden dat it presiis genôch wie foar de mânske cake dy 't har foar eagen stie. Sjongend meat se alle yngrediïnten ôf, die de oven oan en krige de mikser. O, wat waard dit in salvich, linich besleek. It wie giel, sa hiene je net. Dit koe werklik ìt produkt fan de ieu wurde as se dat wat handich oanpakte. Se koe hast net wachtsje oant de cake klear wie. De swietrook fan krektbakte cake betjoende har sinnen. Se koe har eagen hast net fan 't ovenrútsje ôfhâlde dêr 't har Liposuctia stal krige. Doe 't de fiif kertier einlings om wiene, draaide se de oven út en krige de cake mei in pear nije ovenwanten

út 'e hjitte wei en sette har hearlikheid op it kâlde oan-
rjocht. Handich wipte se de cake op in snijplanke en
snúfde de godlike rook op. Hjir wie er dan. Har kréaas-
je, har goudmyn, har slynfestyn, har alles. No soe de
slobberine jild jilde, dit wie it grutte momint!

No joech it allegear neat, mar it koe net oars of se
moast in stikje fan de cake ôfsnije en priuwe. Se moast
witte wat se har takomstige klanten foarsette. Ien
stikje cake, wat soe 't? Gau krige se in grut kartelmes
en snie in royaal stik ôf en die it hoeden yn 'e mûle.
Dit wie, mar dit wie ... Se slokte it stik cake sa gau 't
se 't leard hie troch en pakte de noch waarme cake
mei beide hannen op. Wat hie se in hûnger. Nee, slim-
mer noch: se wie ferroppe fan 'e hûnger, se hie yn
gjin dagen wat hân, ommers. Dy lucht, dy swietrook,
dy struktuer, dy konsistinsje! Sa'n moaie cake hie se
har hiele libben noch nea bakt, it wie in masterstik
wurden. Se hie harsels net mear yn 'e macht en troppe
harsels fol mei cake. Amper by steat te kôgjen, slokte
se it kostlike iten troch. Folslein bûten harsels socht
se elk krûmke dat bûten de snijplanke bedarre wie, op
en treau it yn 'e mûle. Dea-ynein siigde se oer de grûn
del. Dit wie in te grutte oanslach op har mage. Dy koe
sokke protten fet net mear ferneare. Se koe sa'n djoere
cake min útspuie, dat wie begrutlik. Dan mar mislik,
even op karakter, gewoan trochbûkelje. Sa sleepte se
harsels troch in pear minne oeren. Doe 't se einlings yn
'e sliep foel, sliepte se ûnrêstich.

Doe't Lisa de oare moarns wekker waard hie se tsjûke spierballen op 'e boppe-earms en har wangen wiene nuver opblaasd. Sa'n ûnderkin, fan wa wie dat? Wie sy dat? Dy klapkûten, wêr kamen dy wei: wie dat in ferlette erfenis? Se koe har eagen net leauwe, har nije figuerke wie slim skeind. Se skuorde har it t-shirt fan 't liif en seach hierskuorkes yn har fel. Alde striae? Nee, nee, dit wie wat oars. Se hearde wat knappen. Se, se ...

Mem

'Karina, wolst hjir even komme?'

'Och mem, no even net, ik bin krekt myn hier oan 't fervjen, ja?'

'Brûkst wol in âld handoek? Oars ha 'k de hiele brot der aanst ûnder.'

'Jaaa-haaa!'

Hierfervje: alle seis wiken opnij fervje, en ast griis wurdst, dan kinst der hast alle wiken mei de fervekwaste bydel. Hester is bliid dat se dêr mei ophâlden is. *Laissez faire*, oftewol "lit mar gewurde" is har nijste stelregel. En se lit net allinne it hier gewurde, mar ek har figuer.

Gjin gegimmestyk mear, gjin oefeningen jûns foar it op bêd gean en alhielendal gjin diëten mear. De konkurrinsjestriid mei de dochter hat se opjûn, dêr kin se it ommers dochs net fan winne. Dy hat net allinne de leeftyd, mar jout dêrby ek nochris kaptalen út oan smarseltsjes en optriuwbeha's, korrizjearjende panty's en hierferve. Har hiele moannelean ferdwynt suver yn de kosmetyske yndustry en de boetykjes. It stiet har wier prachtich, dêr net fan. Mar om no alle dagen skoften foar de spegel om te hingjen en te wifkjen oer de klean en dan de striid oan te gean mei it útsykjen fan bypassende make-up en aksessoires? Nee, dy tiid hat se echt wol hân.

'Karina, bist klear?'

'Hast, set mem even kofje?'

'Is in senseootsje ek goed, want ik ha 't iten al op-
stean!'

'Raas net sa!'

It wie ek noait goed, toande se har goede wil, prate se
wer te lûd. Se soe no earst mar even skjin wetter yn it
reservoirke jitte. Se geat it âlde wetter derút, spielde
it in kear om en liet der mei geweld in pjuts wetter yn
batse. It fleach der oan alle kanten oerhinne, sadat se
der mei in teedoek bydel moast; it ding koe sa noait op
it apparaat set wurde.

Se droege de hannen oan 'e heupen ôf. Hearken, dat
blabbere der oer, se wie al bêst groeid, sûnt se de striid
tsjin 'e pûnen opjûn hie. Gelokkich hie se in swarte
broek oan, dan foel it wat minder op.

Karina kaam de keamer yn mei in handoek as tulbân
om it wiete hier wuolle.

'Is der al kofje?'

'Drukst it knopke even yn, hy moat noch oanset, der
sitte al sokke dingen yn.'

'Pads.'

'Ja, fan dy pets-dingen.'

'Wat, pest-dingen?'

'Nee leave, it binne gjin pest-dingen, hoe komst dêr
no wer by?'

'Lit mar sitte, ik krij de kofjemolke wol even, krijt mem
even in pear mokjes?'

Hester krige in pear blauwe mokjes fan 't rekje en sette se neist inoar op it standerke fan 't kofjemasyntsje. It lampke knippere en it apparaatsje raasde noch wat, se moast noch even tiid dwaan. 'Toe no, ding.'

'Mem moat gewoan even sitten gean sa lang, of even koeke snije of sa.'

'Ja, hast gelyk. O sjoch, hy is der klear foar.' Se drukte it rjochterknopke yn en dêr waard it hite wetter al troch it filterke hinne jûtst. De mokjes wiene mar amperoan grut genôch. It hieten mokjes te wêzen dy't apart makke wiene foar dit type kofjesetapparaat, mar Hester fûn dy dingen dy't krekt sà ôfmetten wiene, ien stik argewaasje. Ast de kofjemolke der al yn hiest, koe de kofje ek foar itselde oer it kopke hinnebrûze, of it gie oer alles hinne ast it op in bledsje sette woest.

'Sjoch, it famke har kofje. En ek ien foar it grutte famke.'

'Wat binne wy wer lollich, net?'

'No, dû bist dochs noch in famke, net?'

'As mem my graach lyts hâlde wol, ja, dan al.'

'Fynst my in âld strûk, tink?'

'Dat sis ik hielendal net, mem is gewoan mem.'

'Ja, gewoan mem, mem is gewoan, ik fiel my krekt sa'n útknypte tube deikrêm, sa'n leechfingere pot nacht-krêm, sa'n útspuite bus hierlak, sa'n útdrukte flesse styling-gel, sa'n ...'

'Memke toch, wat is der oan?'

'Watfoar kleur hast it hier eins dien?'

Mei in swier luts Karina de handoek fan 'e holle en sei triomfantlik: 'Nostalgic mama.'

'Grìis?' balte Hester en stjitte fan klearebare alteraasje har kofje om.

Gelokkich lei der in handoek foar 't gripen.

Nútsjeguod

Noait hoegde sy wer nútsjes op feestjes of resepsjes. Ba! Nee, dat wie net omdatst sa groeie koest fan nútsjeguod. It wie ek net sa dat se der tefolle fan iten hie en der mislik fan wurden wie. Nee, dat wie 't alhiel net. Dat moast elk mar foar him- of harsels regelje. It wie ek net om't lytse bern maklik yn in apenútsje smoare koene, omdat sa'n nútsje opsette koe, as er yn 'e kiel stykjen bleau. Of om't bern in nútsje yn 'e noas optriuwe koene en de dokter der dan meast ek noch oan te pas komme moast. Dat wie it him allegear net. Nee, ek net fanwege dy hurde stikjes dy't der yn sitte koene en dêr't guon minsken de follings yn 'e kiezzen mei fernielden. Of as der sa'n aaklike nút ûnder it keunstgebyt rekke, wat tige pynlik skynde te wêzen ... Nee, dat koe har allegear net safolle skele.

It gie Hilda om it nijste wittenskiplike ûndersyk oer party-nútsjes. Oer de nútsjes dy't klearset stiene op party-taffeltsjes op feestjes. Man, wat griisde se dêr alderfreeslikst fan. As se der goed ynkaam, woe se hielendal noait wer nei in feestje ta, sa kjel wie se wurden fan it berjocht.

Wittenskippers hiene ûndersocht oft minsken wol hanwosken nei in besite oan it húske. As de minsken poept hiene, gie 't noch wol, mar nei it pisjen rûnen de rûchsten de wetterkraan straal foarby! Dus sa wie it te ferklearjen dat der safolle urinespoaren yn de skaaltsjes mei nútsjes fûn wiene op ferskate lokaasjes, om fan de faeces-resten noch mar te swijen. De ûndersikers hiene ferstuivere west.

En oars sy wol, jammeltsje. Sy koe wol kokhalzje as se der oan tocht. En wat die in toskedokter by de jierlikse kontrôle? Hanwosk dy syn hannen earst wol? Of hie er by alles wat er die sterile weismytmofkes oan? Se koe 't sa gau net betinke, mar de gedachte stie har net oan. De winkelman, wat hie dy troch de hannen hân foardat er de griente teplak lei yn 'e skappen? Apeltaart: dan waard it daai ek mei de hannen knypt. Se griisde derfan.

Hoe moast se dat moarntejûn ha as se har jierdei fierde? Sy woe dan eins as it heal koe al eefkes oan 'e nútsjes, mar net miene dat sy út itselde bakje ite woe as har sweager, no't se dit wist! En in leppel deryn wie ek net echt in oplossing, want oan dy leppel sieten dan likegoed ek wer sanitêre baktearjes.

Ynienen wist se it, se kocht gewoan in hiele searje lytse graaibakjes! Moai elk syn eigen bakje, mei elk syn eigen baktearjes.

De oare deis sette se al betiid rjochting winkel om minybakjes oan te tugen. In folgjend probleem: hoefolle fan dy lytse rotbakjes soe se ha moatte, hoefolle soene der jûn komme? Yn gedachten telde se de minsken dy't sa trochinoar by har op 'e jierdei kamen: sa'n fjirtjin. As se no tweintich fan dy dingen kocht, hie se seker genôch. Mar as se no ek fan dy Japanske sâltsjes op 'e tafel sette woe, wêr moasten dy dan yn? En de cashew-nuten, hoe kaam it dêrmei? It kaam safier dat se mei in reade holle sechstich lytse bakjes ôf stie te rekkenjen.

Doe gie se nei de nute-bar op 'e merk en kocht mingde nuten, cashews en Japanske ryssâltsjes. Net te min. Elk syn eigen bakje, dan moast der ek bêst wat yn.

Dy middeis wosk se de nije bakjes ôf en die yn de earste tweintich de mingde nuten. Oer elk bakje die se in stikje foaly. Doe't dat achter de rêch wie, skuorde se de pûde cashews iepen en rûgele de folgjende tweintich bakjes der mei fol. Dêrnei wiene de Japanske knauwerkes oan bar. Eins soe se, as se elk trije bakjes jaan woe, de bakjes earne op sette kinne moatte: in plato, of in skaaltsje of sa. Se hie grif noch wol wat âlde gebaksskaaltsjes, dy't se dêr wol foar brûke koe. Daliks liet se har op 'e knibbels foar de buffetkast falle, die it doarke iepen en dûkte achter yn 'e kast om de foarrie âlde rêding te besjen. Se moast ommers ek noch fan dy glêzen pantsjes fan har beppe hawwe. Dy koe se no ek moai werris brûke. Mar wêr hie se dy dingen? Op 'e souder fansels. Lêsten hie se sa'n oprûmerige rite hân en doe hie se se nei de souder tabrocht. No toe dan mar: it wie foar in goed doel.

Bewuolle yn âlde kranten fûn se nei in speurtocht fan in healoere dwerstroch in kampingútris en in poppeútset, in doaske mei njoggen glêzen pantsjes. Bingo!

Se wosk se earst ôf en sette se doe klear op it oanrjocht. As de beside de taart achter de knopen hie, koe se noch wol gau even in stik as wat fan dy gebakspantsjes ôfwaskje, dan koe se dy ek moai brûke om trije lytse bakjes nútsjes op te setten.

Dy jûns rûgele de beside stadichoan ta de hûs yn. Nei de earste ferhalen oer de bern (de froulju), auto's (de man-lju), it waar (beide), kaam it praat alhiel ûnferwachts op it krante-artikel fan it urinespoare-ûndersyk. Hjir hie Hilda oars gjin rekken mei hâlden, dat oaren it ek lêzen hiene. Har sweager sloech him op 'e knibbel en sei: 'Moatst net miene dat ik no yninen hanwaskje, hear, ik bin ommers noait siik, ju!'

'Nee, dû net, mar in oarenien hoecht dochs net lestich fallen te wurden mei dyn ûnhygiënyske gewoante, wol?' sei ien.

'Wat in ûnsin, in minsk krijt deis ommers withoefolle baktearjes binnen?' sei in oar.

Hilda krige in kop as fjoer. Hoe soe se mei goed fat-soen aanst de skieden nútsje-oanbieding ferantwur-dzje kinne?

Har man rêde de kofjekopkes en de gebaksskaaltsjes ôf en soe se yn de ôfwaskmasine sette.

'Ho mar, ik waskje de pantsjes hjir wol gau even ôf, dan binne dy mar wer skjin.'

'Wat in ûnsin, ju, wêrom ha wy sa'n ôfwasker, klap it der yn, dan bist derôf.'

'Mar ik moat dy pantsjes aanst wer brûke, lit my no mar even gewurde.'

'Froulju!' suchte er, en gie werom nei de keamer, nei de besite, om de bestelling foar de drankjes op te nimmen.

Gau liet Hilda hyt wetter yn de goatstien rinne en spuite der in striel ôfwaskersguod by yn. Se treau de steapel pantsjes yn ien kear kopke ûnder. Yn rêd tempo joech se elk pantsje in feech en plante se op in ôfdriprek op it oanrjocht del. Doe 't de hiele steapel dêr yn stie, krige se in teedoek út 'e kast en wreau se droech.

In skoansuske dat even by har sjen woe en har sa oan 't skreppen seach mei de pantsjes, sei: 'Wat no, krije wy wer taart, of wolst de pantsjes brûke foar in slaadsje of sa?'

Hilda wist net wat se soe, oft se de ynhâld fan alle lytse bakjes dochs noch leechkiperje soe yn in grutte skaal, of dat se dochs mar sa dryst mar wêze soe en stal har projekt út op 'e tafel. Soe se Eke yn betrouwen nimme kinne?

'No Eke, ik ha wat nijs útfûn!'

'Hast in nij resept foar wat hapkeboel?'

'Dat net, moatst aanst marris sjen.'

'Kin 'k dy der by helpe, of hast it al klear soms?'

'Ja en nee, kinst my wol even helpe, ast wolst.'

Hilda helle de sechstich bakjes dy't se op twa grutte tsjinblêden klearset hie út 'e bykeuken en stalde se op it oanrjocht út.

'Wat krije wy no, setst elk op rantsoen?'

'Hilda, telefoan, tante Maaike wol dy even lokwinskje!' balte har man út 'e keamer wei.

Gau sei se tsjin har skoansuske dat dy it plestik wol even fan de bakjes ôfhelje mocht. Se wiisde nei de pantsjes en meneuvele dat op elk pantsje trije ferskillende bakjes moasten, mar dat se no earst gau even nei de telefoan gie.

Doe't se mei goed fatsoen in ein oan it petear breide hie, fleach se gau wer nei har nútsjeboel yn 'e keuken. Ferdikke, dêr hiest it al! No stie har sweager dêr triomfantlik mei in fol tsjinblêd yn 'e hannen. Hie fansels oan har bakjes sitten mei syn húskehannen, de fiislak!

Ferhip, no siet er ek al mei de hannen ŷn har bakjes. Se koe wol ploffe, dy hufter, dy smoarge goare … , se soe him, dy smearlap!

Mar dy sweager sei lykwols fluensk: 'Hilda fanke, yn urine sitte hielendal gjin baktearjes, soks is eins sa skjin as wat, mar ja, yn poep fansels wol en ek in moai protte. Kinst fansels noait foar de hûndert persint seker witte wat ien dien hat op it húske en wa't al of net hanwosken hat …'

OMO

Katja wie in frou dy't lekker los troch 't libben brûze. Fêste relaasjes die se net oan, fierstente omslachtich en it friet tiid. Koest de hiele dei púnromje. Hieltyd mar tinke dat it oan dy lei as er neat sei by it kofjedrinken, stroffelje oer wykeintassen, of net op dyn eigen stuollen delploffe kinne, omdat der jassen en festen op goaid wiene. As oare froulju dêr nocht oan hiene, dan giene dy harren gong mar. As sy ferlet hie fan in keardel, dan pikte se gewoan ien op. In one night stand, hiet soks. Sy neamde it in O M O-tsje: oangean, moarnsite en op-pakke. Of, ôfhinklik fan 'e stimming, 'S L E S-se': skjinne-lekkens-en-stofsûgje. Lekker stoer. Neat gjin gedoch.

Se socht de O M O's en de S L E S-sen altyd wòl mei soarch út. Foaral gjin plakkers dy't fuort fregen ast al plannen hiest foar it wykein. ('Ja, ik gean nei myn de-minte tante!'). En dochs fûn se altyd wer ien dy't gjin polonêze oan 'e lea ha woe, mar der wol foar fielde om in nachtsje by har yn 't himelbêd troch te bringen.

Jaha, dat hie se, in himelbêd! Ien mei grutte kanten lapen dy't der oan alle kanten as in ticht klamboenet omhinne spand sieten. Se fielde har altyd krekt in prin-sesse as se heech yn 'e kessens opstuolle út har bêd wei om har hinne siet te sjen. En as se in feintsje foar ien nacht hie, smiet se gau de kessens oan 'e kant om plak te meitsjen foar har gast.

Sy woe rûmte ha. Net allinne by har op bêd, ek yn har holle. Dy holle moast leech, oars koe se har net oan in nachtsje mei sa'n wyldfrjemde man oerjaan. Want ergens 'deep down' hie se wol lêst fan skuldgefoelens. As se hiel earlik wie, hie se lêst fan sa'n genipich, ferfelend stimke dat har eskapades ôfkarde. Mar har hing nei it aventoerlike en de seksuele spanning leine al gau it near op it ûnsichtbere, mar wol fielbere protestboerd, dêr't 'net dwaan' op stie.

Oant Kris har paad krúste. Se krige him earst al hast net mei nei har hol en doe't se him suver dronken boarne hie, siet se mei de brot, want hy moast earst spuie doe't er by har yn 'e hûs kaam. Hy koe net sa goed oer drank, sei er. Mar hy hie wat oer him, dat har rekke. Ja, it die har wat dat er der noch âlderwetske ideeën op nei hold.
'Ik fyn dy leuk, Katja, mar ik bin net wend om eh, hoe sil ik it sizze, om daliks mei in frou op bêd te krûpen.'
'Wy hoege it net te dwaan, hear Kris, wy kinne ek gewoan hjir noch wat sitte te praten.'
'Fynst my dan net in suertsje?'
'Nee, hoesa? Moatst noait dingen tsjin 't sin dwaan.'
'Sorry, dat ik spuid ha, ik fiel my eins noch net sa lekker, ik gean dy kant út.'
'Sa'st wolst, jong.'
Katja rûn mei him nei de gong en wachte oant er de

jas oanlutsen hie. Se moast har bot ynhâlde om him net om syn telefoannûmer te freegjen, mar se woe de spulregels dy't se harsels oplein hie, net samar oan 'e kant reagje. Dat hie se noch noait dien mei in OMO-man, nei in achternamme of in telefoannûmer freegje, lit stean in adres. Mar dit wie wolbeskôge gjin echte OMO-man, dit wie mear in NOMO-man: net oangean, mar oppakke.

Doe't se him útweaud hie, fielde se in nuvere brok yn 'e kiel. Dit wie him, se fielde it oan alles. Dit wie de man fan har libben: leafde op it earste gesicht, hjir ruile se alle oare gerommel foar yn, hjir die se it foar!

Se swimele as se oan him tocht en bewarre it trein-kaartsje dat him út 'e bûse rûgele wêze moast, as wie 't de Gouden Wikkel fan Willy Wonka. As se oan har buro siet, krige se it op en streake der op om, as wie 't Kris sels. Se snapte der neat fan, wie se no fereale?

Hoe koe se no útfine hoe't er mear hiet en wêr't er weikaam? Och wat stom, it treinkaartsje fansels, dêr stiene ommers twa plakken op: in begjin- en einpunt. 'Leeuwarden – Sneek-Noord' stie der op it kaartsje. It wie in retoerke. Sy wenne yn Snits, dat dan moast Kris wol yn Ljouwert wenje. Se bestudearre it kaartsje. It wie om 17.15 út de automaat helle, koe se wol sjen. Dan hie er de twaentweintich oer fiven trein nommen, fan spoar 1 ôf. Se beprakkesearre wat hy dan dien hie foar-dat se inoar troffen hiene yn it smûke buertkafee yn Snits. Soe er kunde ha te wenjen yn Snits-Noard, dat er

80

dêr iten hie? Of soe er in patatsje helle ha om dêrnei nei de betide film te gean? Se pinige har ûnthâld om út te finen hoe let at se him foar it earst sjoen hie. It hie net let west, foar har gefoel hiene se in hiel skoft mei-inoar praat foardat er mei soe nei har hûs.

Hoe pakte se dit oan? As se no sneon nei Ljouwert gie mei de trein en dan mei dyselde trein fan twaentweintich oer fiven weromreizge nei Snits-Noard, hiel miskien rûn se him dan tsjin 't liif. Slagge dat net, dan koe se de jûns ommers altyd noch nei it buertkafee. Wa wit koe se him dêr nochris treffe.

Dy sneons hie se de hiele dei de senuwen. Mar om 'e nocht, want al wa't se trof, gjin Kris. De wyks dêrop wer net. Op 't lêst begûn se op it stasjon yn Ljouwert te posten, want wa wit naam er in betidere of lettere trein. Wer letter hold se it kafee op 'e kuer. Se loerde út har húske wei mei in fierrekikerke wa't der yn en út kamen.

Mar wat se ek die, hoe't se ek oanhold, gjin Kris. As se net better witen hie, dan hie se tocht dat er himsels by har troch it húske spield hie. Mar dat wie net sa fansels, hy wie gewoan by har troch de doar rûn, de wide wrâld wer yn.

Katja fielde dat se de greep op har libben ferlear, dit wie sterker as har. As se him oait wer tsjinkaam dan soe se harsels op 'e knibbels foar him smite en fuortendaliks freegje oft er mei har trouwe woe. Hjir wie gjin krûd foar woeksen.

Plastuit

Sy hie foar de aardichheid sa'n plastuit kocht. No, net hielendal foar de aardichheid – lêsten hie Pytrik in kuiertocht dien en doe't se noadich moast, blieken der gjin tydlike húskes oan 'e kant fan 'e dyk te stean. De berm yn wie gjin opsje, en der wie net in beam noch in boskje te bekennen. Dêrom woe se no sa'n ding by har ha, dan wie se derop klear.

Fan te foaren hie se betocht dat de ferkeapster har miskien mei sa'n gesicht oansjen soe fan 'Wolle jo dy echt brûke?' mar dat foel ta. Yn rap tempo waarden har kuierprodukten scand en yn in plestik pûdsje dien mei goed opsichtich de namme fan de drogisterijketen derop. Njonken fuottekrêm, blierrepleisters, druvesûker en wat müslyrepen, hie se har diskear dus ek oan in plastuit weage. Wa wit, miskien soe sa'n tút nochris fertuten dwaan.

Koartlyn hie Marja – troud mei in motorfreak – har ferteld dat se in bekroande brief yn in tydskrift lêzen hie, dêr't sa'n ding brûkt wie om nije motoroalje yn 'e tank te jitten. Yn dy relaasje hie it kartonnen trachterke in protte argewaasje besparre. Want wa nimt no in trachter mei op motorfakânsje? Allinne it heechnedige wurdt yn sa'n rûmte ûnder it seal troppe. Tafallich hie dat frommeske in plastuit by har hân, bang dat se wie, dat motorkoereurs net faak genôch oanstekke

82

soene op plakken dêr't se fatsoenlik nei 't húske kinne soe. Hielendal út 'e skroeven hie dy man west dat er in freondinne mei op reis hie, dy't sà klaaid fan hûs gien wie. Sûnt Marja dat lêzen hie, hie sy altyd in plastuit by har as se mei har man op 'e motor ôfstuts.

Pytrik hie gjin motor, mar al in swakke blaas.

Eins wie se net fan doel om njonken manlju steandewei te pisjen, sy seach har dêr al stean. Se mocht earst wol even oefenje, oars pisse se har grif oer de fingers hinne. Gysten reage se yn 't pûdsje om en telde trije fan dy dingen yn ien ferpakking. Se krige se út it kartonnen doaske en stalde se foar har út op 'e keukenstafel. Daliks mar ien probearje ear't de bern thúskamen en har omfûterjen en ploeterjen hearre soene yn 'e badkeamer. Dochs wol benijd naam se ien mei nei de badkeamer dêr't se de ôfstân ta de pôt ynskatte, foardat se der mei oan 'e gong gie.

Earst strûpte se de spikerbroek nei ûnderen en dêrnei har slip. It duorre even, mar doe hie se it pispûdsje ynstallearre. No moast se noch mingelje, en earlik sein hoegde sy op dit stuit net. Se draaide har om nei de wasktafel en liet de kraan rinne. Stadichoan skeuvele se werom rjochting húskepôt. Nei't se dêr wol fiif minuten stien hie, begûn it har de kiel út te hingjen en slingere se de tút troch de badkeamer.

Doe't se op 'e oerloop stie, fielde it ferdikke krekt of moast se pisje. Wer werom, it ding opfandelje en de klean wer delstrûpe. Ynstallaasje fan it mingelmantsje en dêr brûsde it alle kanten út. Allinne: it rûn net oan 'e foarkant yn 'e pôt, nee, se hie it ding blykber te stiif tusken de billen knypt, want it rûn nei achteren en klettere by alles del. Yn de ûnderbroek, oer de broek hinne, op it wc-kleedsje, net te leauwen. Nei in grou flokwurd mitere se it ûnding yn it ôffalamerke. Earst de skuon mar ris út. Ba, it siet har yn 'e sokken. Se wist net hoe gau't se de klean útstrûpe moast om ûnder de dûs te krûpen.

Doe't se skoften ûnder de dûs stien hie, fielde se har wer aardich monter. Mei de bepisse klean yn 'e waskkoer, kaam se de keamer yn om de brot yn 'e waskmasine te tropjen.

'Mem, sjoch ris hoe handich!'

Ien fan de bern stie wetter mei in ekolinekleurke troch de nauwe hals fan in karaf te jitten. Sûnder te griemen.

Lampehier

Wat is 't wat mei dat gedoch om in holdoekje. Eins meist it gjin holdoekje neame, mar in bandana. Want dochst sa'n fleurich stikje guod oan 'e efterkant fêst, dan is it in hippe holbedekking. Sit de knoop boppe op 'e holle, dan is it krekt in spotprint fan eartiids, fan sa'n echte wurkster. Knopest sa'n gefaltsje ûnder it kin fêst, dan wurdt it wer sa'n diskusjedoekje.

Alice wie de santich al rûm foarby en stie op 'e buert bekend as eksintryk. Sy steurde har net oan de klean dy't de blêden foar de wat ripere frou foarskreaune, dy griisden har oan: fine breidene truikes en de roklingte royaal oer de knibbel. No, sy gie leaver gewoan dea. Nee, sy gie leaver bûtengewoan dea, no't se der goed oer neitocht.

Man, wat sjakte har har leeftyd. As se der goed oer neitocht, wist se net iens at se no fjouwer- of fiifensantich wie. Sy die lekker oan en om wat harsels goed tocht: fleurige hierbannen, panty's yn knalkleuren en opsichtige reinjassen. Lêsten hie se pearse laklearskes kocht, al sokke snoeskes. Dêr hearde fansels in read minyrokje boppen, dat hie se yn de kringloopwinkel opskarrele.

Fansels die se ek wat oan har hier, want griis die har te bot tinken oan grize mûzen en dat koe gjin kant út tocht har. Oare wike hie se in ôfspraak by de kapper,

85

no dan soene se hjir op 'e buert nochris wat belibje. De kapper hie foar har apart fluoressearjende hierferve oantúgd.

Dat like har jûns wol handich, dan hoegde se de bûten-doarlampe net oan te litten as sy jûns let thúskaam. Har hier soe genôch opljochtsje yn 't ljocht fan 'e lantearne dy't flakby yn 'e strjitte stie. 'Glow in the dark'- hier hie se dan. Sis no sels: dêr soe sa'n foech strjitlampke finaal by ferblikke.

Mei in weemoedich gefoel tocht se werom oan eartiids oan de tiid dat sy in famke west hie. Doe hie sy dat rebelske ek al hân: mei sin sjokkearje mei har klean. Klompen oan dy't mei wylde tulpen beskildere wiene en dy yn 'e hûs oanhâlde by wize fan toffels. In âld mel-kersjaske fan har buorman hie se oan as simmerjaske en in bh as topke. Dat hie noch fier foar de Madonna-tiid west. Och hea, wat miende dat hittepetitsje fan in Madonna? Dat sy dat útfûn hie? Draachbere linzjery? Kom no! Dat hie sy yn 'e fyftiger jierren al oan!

Mar goed, yn har trouwen wie dat rekalsitrante der wat ôfgien en hie se har skikt mei konfeksjeklean. No't it lichaamlik ferfal lykwols sûnder genede tasloech, fernaam se oan harsels dat se slim ferlet hie om har op te pronkjen.

Alles ronfele en hong slop, se fielde har sa wilich as in winterapel dy't fergetten wie op 'e fruitskaal. De striid tsjin de tiid wie net te winnen, fansels, mar se koe it ek allegear samar net gewurde litte. Se moast der fan

harsels wat oan dwaan, mei útkynde linzjery en bysûn-
dere klean. Sy fielde har útwrydske útmeunstering net
sasear as in twadde hûd, mar earder as in twadde kâns,
in kâns om har op en nij jong te fielen.

En dat wie wat har pleage. Noait liker as wie der in
lyts stimke yn har dat foarskreau wat se oan ha moast.
Dat fûn se eins hiel frjemd, omdat se har de wet net
foarskriuwe litte woe. Soe se har troch harsels wat
wiismeitsje litte? Se kaam yn 'e bernskens, tocht se.
Dit soene de earste ferskynsels wol sa'n bytsje wêze:
gjin kontrôle mear oer har eigen wil en weromgripe
nei dingen fan eartiids. Net nei feiten en barrens út
it ferline, nee, har hâlden en dragen gie werom nei
eartiids. Se begûn gjin berneferskes te sjongen, mar
begûn har wer krekt like eksintryk te ferpakken as
doe't se jong wie.

Op itselde stuit helle se de kleankast oer de kop en
seach oft se ek noch ergens in moaie bandana fine koe,
want salang at har hier der noch út seach as hiene de
rotten der yn omflein, die se leaver in fleurich hier-
bantsje om. Sy hie fansels wol in reputaasje heech te
hâlden.

Puer natuer

Ek as se by de húsdokter wat yn de tydskriften om-blêde, koe Aafje har net fine yn it strakke rezjym fan de moade. Wat der oan klean en kapsels yn stie, stie ki-lometersfier fan har ôf. Dan hiest fan dy 'make-overs': froulju dy't op kosten fan it tydskrift der hielendal oars út kamen te sjen. 'Ferbetterjen fan de sterke punten,' hiet soks dan moai taktysk. Naturelfroulju giene der mei har folle ferstân mei akkoart, dat se oan 'e ein fan in behanneling wer foar 't ljocht kamen as teheistere hinnekonten dy't oan it merkefieren wiene. As hiene de rotten der yn omfretten, sok rûpsk hier hiene sokke froulju bytiden. Seachst net iens dat it deselde froulju wiene, sa slim wie 't út en troch.

Se hie ris in Amerikaanske searje sjoen, dêr't hiele slimme gefallen yn seis wike tiid omtsjoend waarden ta foto-modellen. It wie har altyd bybleaun dat in echt-genoat by it weromsjen fan syn eigen frou allinne mar beard hie oer de moaie nije learzens dy't se oan hie. Neat oer har uterlik. Krekt goed.

Nee, yn 't lân by de kij hoegde se gjin pumps oan. In oerstrûper en learzens koene it har wol dwaan. Moast se nei 't doarp ta om boadskip, dan gie de oerstrûper út en die se gewoane skuon oan. Se wist wol dat se helt fan 'e tiid noch nei de pleats rûkte, mar dat wie in sûne rook, dêr siet sy fierders net mei. Wat oaren oer har tochten en oer it wurk dat sy die, moasten se sels mar witte.

As lyts famke hie se har heit altyd holpen yn 't lân en yn 't bûthús en doe't heit der net mear wie, hie sy it fanselssprekkend fûn om de pleats en alle wurk oer te nimmen. Se gie sa yn har wurk op, dat har sosjale libben der fan te lijen hie. Doe't heit noch libbe, hie se der wykeins wolris mei freondinnen op út west, mar no bleau it der suver by. De oprop foar it televyzje-program 'Boerin zoekt man' kaam dan ek presiis op 't goeie stuit.

Wat hie sy in takomstige man te bieden? Dat er helpe moast by de melkerij en har bystean as der in ko kealle? Sy hie der lang en breed oer neitocht eardat se in mail stjoerde nei de minsken fan it tv-program. Se besleat de elektroanyske brief mei de pakkende slotsin: Ik vind mezelf wel een echte klei-kluit.

De minsken op de redaksje leine dûbel, hjir moasten se hinne, dizze frou wie echt, puer, hielendal harsels en ek nochris út 'e klaai lutsen. Koe 't noch moaier? En dan ek nochris fan Aafje hjitte, it koe net better.

Aafje krige berjocht dat der mei har goedfinen in ynteek-petearke en in proefopname komme soene. Se snapten yn Hilversum echt wol dat sy der net samar in dei by wei koe, se kamen wol by har.

Aafje liet gau in help komme om in slach troch 't hûs te dwaan. Sy koe der yn 'e achterein net heal by wei,

want de foerkompjûter wie yn 'e hobbel en no moast
se alles neirinne, want har kij mochten net te folle of
te min foer krije, want dan hie se de boel hielendal yn
'e bulten.

Doe't it griene televyzjebuske de reed delhobbeljen
kaam, hie se krekt in sjekje draaid, dat se bûten by de
grutte skuordoarren op stie te smoken. Der rûgelen
wol fiif minsken út it buske. De regisseuze, de pre-
sintatrise, in lûdsman en twa kameralju. Aafje noege
de hiele meute earst mar ris yn 'e foarein foar in bakje
kofje.

'Wat is dit voor koek, Molkwarder zegt u?'

'Mag ik even van het toilet gebruik maken?'

'Heeft u er al over nagedacht wat zo'n programma te-
weeg kan brengen in uw omgeving?'

'Heeft u misschien ook een iets modernere oufit voor
de camera? Ik wil niet onbeleefd zijn, maar deze swea-
ter kan ècht niet.'

Aafje ferskeat fan kleur. Joech men se ek noch kofje
mei sa'n skoander stik koeke derby en dan sok praat.

'Wat zou ik dan volgens u aan moeten trekken,' pro-
bearre se noch yn goedens.

'Een leuk felgekleurd jasje of eventueel een vestje, als
dit maar uit mag.'

Se hie it dus goed ferstien: sa't se wie, koe it net.

'Maar het gaat er toch om dat ik gefilmd wordt zoals
ik in het echt ben?'

'Met andere kleding bent u nog wel dezelfde Aafje,

hoor, het geeft alleen een veel beter camera-beeld, begrijpt u?'

'Waarom mag ik deze sweater niet aanhouden, die heb ik altijd aan, hij hoort bij mij.'

'Nou goed, als u erop staat, gaan we wel een shot maken.'

Wêr wie se oan begûn? In 'shot'...

'Wat verwacht u van deze serie, zou u dat in uw eigen woorden willen vertellen voor de camera?'

'Ik ben bang dat ik het niet in mijn eigen woorden uitleggen kan, want u wil mij in een keurslijf dwingen en daar kan ik nu juist niet over. Ik ben wat je noemt een vrijgevochten boerin.'

De Goaiske matraskes krollen de mûlhoeken nei ûnderen ta en seagen inoar ris oan, mei sa'n blik fan: wat moatte wy hjirmei?

Ien fan harren naam it wurd en sei: 'Misschien past u toch niet zo goed in ons concept, ik denk dat wij een selectiefout hebben gemaakt. Misschien is het beter als u op een andere manier een boer vindt.'

Sûnder der op yn te gean, stevene Aafje nei de foersilo, want se seach yn 'e fierte har foerrider de reed delkommen en dat wie helte better selskip as dizze ûnbenullen.

Raar waar

Sy hie altyd mar wat in hekel oan trijeletterwurden fan ûnder de gordel en dan benammen fan de froulike soart. Minke siet har dochters dan ek geregeldwei te ferbetterjen. Dy fammen wiene ek net fan juster en holden der dêrom yn 'e hûs wol rekken mei wat se seine en hoe't se it seine. Mar bytiden wie it der al út ear't se it yn 'e gaten hiene. 'Wat is 't fet kutwaar.' Sy, as mem fan har generaasje, sei dan dat se ek wol gewoan sizze koene dat it reinde en dat rein noait fet wie, allinne mar wiet en soms kâld. En dan hammere se der noch mar ris op om ús edelste lichemsdiel net te misbrûken, 'noch ferbaal, noch fysyk'.

Hiele diskusjes folgen dan. Sy prate ommers ek wolris oer "in knap lullige sitewaasje". Dêr lei sy as mem dan wer tsjinyn dat dat kaam omdat it tiidwurd 'lulle' in foarm fan praten wie. Mei tefolle wurden, by Dokkum om, in ferhaal byinoar swetse – dat wie lulle. "Lullich" ferwiisde dus eins hielendal net nei it manlik ge-slachtsdiel. Dat wie de pedagogysk ferantwurde ferzje en dy hood se fansels oan har fammen foar.

Wie se in dei mei har freondinnen fuort, dan wie 't wol oars. In lul frege neffens de froulju gewoan om in persiflaazje. Want wat stelde sa'n lul no hielendal foar? Koest der mei pisje, wat har op har lange kuiertoch-ten wolris hiel handich talike hie. Sa'n plastuit bleau behelpen, want dan moast dat ding ek wer meitôge wurde. Boppedat moast der ek noch om tinke datst de flapkes goed útteardest en datst it skean nei ûnderen ta beet holdst, want oars pissest dysels der ek noch ûnder. Pleister op 'e wûne wie fansels dat wyldpisjen foar manlju langer ek ferbean wie. Dus wat dat oanbelange stiene de manlju en froulju wer kyt.

Dat wie ien, en twa: in lul koe in keunstke. Dat koe er ferleare, mar dan koe de eigner eefkes op ynternet koeke-loere om wat piltsjeguod en dan koe er it keunstke wer oanleare. Hie it baaske pech, dan waard it in djoere grap en koe er allinne mar hoopje op in begrypfolle partner. Mar fierder: as je it bistke by de namme neame woene wie in lul no ien kear in lul. Yn it deistich taalgebrûk koene je ommers neat mei in penis. In penisige site-waasje? Dat bekke net. It wurdsje lul wie ferwurden ta in frij gewoan skelwurd, al soe sy it sels net sa gau sizze. Mar 'lullich' hearde foar har by it deistige wurd-gebrûk, al hold sy wol rekken mei it selskip dêr't se har op dat stuit yn befûn.

Mar "kut", nee, sy fûn it gewoan in raar wurd om as skelnamme te brûken. Ferdikke, dêr hearde se al wer ien fan de fammen 'kutfint' fûterjen, wylst se ien fan de leararen bedoelde.

'Ferhip, brûk ús moaiste stikje ark net idel! Brûk it allinne dêr't it foar bedoeld is,' koe se noch krekt út-bringe. Se soe sizze 'funksjoneel', mar koe it moai op 'e tiid tsjinhâlde: 'Om fan te genietsjen.'

'Mem, it is gewoan sa'n fint fan neat, ècht, en dy kut fan "kutfint" dy stiet yn dit ferbân foar "kloat út 'e teannen wei". Dat kinst gewoan net oars sizze, oars soe it ommers fierstentelang wurde!'

Reade learskes

Dat Sjoukje wat âlder wie as har man, koe har noch net safolle skele, mar dat se langer as him wie, dat wie wol ferfelend.

Dat sy in fjouwer, fiif sintimeter yn hichte skeelde mei Johan wie oars net opfallend. Johan wie de idele kant neist en hie meast skuon oan mei fan dy dikke speksoallen en sy hie platte ynstappers oan dy't se yn alle soarten en kleuren op foarried hie. Fan laklear, fan suède, fan soepel keallelear en neam mar op.

Dat wie in stilswijende ôfspraak tusken har en Johan; sy hie altyd platte skuon oan.

Mar no hie Sjoukje in pear fan dy prachtige reade suède learzens mei in hakje yn de oprûmingsetalaazje sjoen. Se koe de ferlieding net wjerstean en wie deryn gien om se even better te besjen.

Foardat se in abonnemint op de pedikuere hie, hie se altyd muoite om skuon te finen dy't fan foarren breed genôch wiene, want se hie altyd gau lêst fan lyk- doarnen en ekstereagen. Mar se hie 't lek fûn: twa kear yn 't jier gie se foar in ûnderhâldsbeurt nei de pedikuere ta en dy soarge der altyd foar dat sy wer moai yn alle skuon paste.

Learzens hie se eins noait, fanwegen har kûten. Sy hie fan dy grouwe klapkûten, fan dy knotwylchjes dêr't yn der ivichheid gjin lears omhinne paste. Mar dizze reade suède learskes hiene in prachtich fuortwurke stik ilastyk op 'e hichte fan de kûten.

De ferkeapster wie dwaande mei in man dy't nije wurkersskuon ha moast en twivele tusken in pear brune of swarte loafers. It famke liet de man even allinne en frege oan Sjoukje at se har helpe koe.

'Der steane in pear reade learskes mei hege hakken yn 'e etalaazje, ha jo dy ek noch yn maat 42?' Yn gedachten seach se al wer foar har dat de kolleksje learzens mar oan maat 41 ta gie. Dit wie net in spesjaalsaak, dat se kalkulearre in teloarstelling alfêst yn.

'Ik sil menear noch even fierder helpe en dan sjoch ik daliks foar jo yn 't magazyn.'

'Ja, dat is goed hear, dan strún ik noch wol even by de rekken om.'

Sjoukje rûn wat doelleas troch de winkel en kaam ek by in rek mei oprûmingsskuon del. Under it rek stiene allegear rjochterlearzens. Ja, ferdikke dêr stiene har learskes ek tusken: 38, 39, 41... Dêr hiest it al: gjin 42 te bekennen fansels.

Se seach dat de man út 'e rie wie. Hy hie de brune skuon kocht en stie se no ôf te rekkenjen oan 'e toanbank. Al gau kaam de ferkeapster har kant op.

'O ja, de reade learskes,' lake dy.

'Ik leau dat jo net hoege te sykjen, hjir stiet allinne noch in rjochterlears yn maat 41.'

'Dat is moai, want se falle grut, dat ik tink dat jo wol yn in ienenfjirtiger passe.'

Dat soe wat wêze, in pear fan dy knalreade skatsjes. Sy gie alfêst yn ien fan de passtuollen sitten te wachtsjen op it winkelfamke, dat mei in grutte doaze oansetten kaam, dêr't de linkerlears yn lei. De rjochter helle de frou foar har út it rek. 'Hjir ha 'k se al hear.'

Sjoukje die de balleryntsjes út en krige de rjochterlears fan de ferkeapster oan.

Se koe har eagen hast net leauwe dat se har foet der samar yn krije koe, sûnder dat it fielde as waarden har teannen byinoar knypt. Mar no de rits. Hoeden luts se de rits omheech. Stikje foar stikje kaam de lears nauwer om har skonk te sitten. Ja, sjoch no ris oan, se koe him echt om har grou kût hinne krije!

Gau pakte se de oare lears. Dat dy aardich stiver gie, kaam fansels omdat de rjochter al wat oprutsen wie omdat dy altyd brûkt wie te passen. Doe't se beide learskes oan hie, stapte se der in stikje mei troch de winkel.

'No, hoe sitte se mefrou?' frege de ferkeapster mei in útdrukking fan "sjogge jo no wol dat maat 41 jo wol past" op har gesicht.

'It is net te leauwen, mar ik kin der op rinne. Ik moat se daliks mar mei ha, foardat in oar se meinimt.'

'Ja, it giet hurd yn 'e oprûming hear, foar itselde komt der fan 'e middei in klant om deselde learzens,' spile de ferkeapster op de beweechredenen fan Sjoukje yn.

Sjouk krige de pinpas út 'e beurs en rekkene de reade wûnders gau ôf.

Se gie der mei nei hûs, krige in spuitbus út 'e bykeuken en spuite se bûtendoar mei anty-reinguod yn, dan bleaunen se wat langer moai en wiene se ek daliks wetterticht. Net dat se no fan doel wie om se by suterich waar oan te dwaan. Och heden nee, dizzen hâlde se noch even op nij. Der wie aanst wol in gelegenheid dêr't se de nije oankeapkes by showe koe.

In wike as wat letter stie Sjoukje kreas ferklaaid klear om mei Johan nei in personielsfeestje fan syn wurk. Wêr, woe er net sizze. Dat moast in ferrassing bliuwe. Fansels die se dizze jûn har nije learskes oan. Underweis hie se al wille as se der oan tocht hoe't se dêr aanst de blits mei meitsje soe.

Nei goed trije kertier riden, draaide Johan it parkearplak fan in grut bowlingsintrum op. Sjoukje har gesicht beluts. Bowle: dat betsjutte dat de learskes út koene, want dan moasten se ommers allegear fan dy ûnflatteuze bowlingskuon mei fitersluting oan ha. In bytsje minsinnich rûn se mei Johan nei de yngong ta.

'Krekt as is der wat mei dy. Bist langer wurden?' frege er.

'Ik ha nije learzens kocht. Hoe fynst se?' sei se, wylst se de rjochterfoet in eintsje optilde.

'Wol moai, mar wy moatte deryn, de oaren binne der neffens my al.'

By it ynkommen moasten de skuon daliks ferruile wurde foar unifoarme bowlingskuon. Mei tsjinsin krige Sjoukje in pear twaenfjirtigers út 'e iepen kast. Se joech har op in bankje del om ien foar ien de learzens sa elegant mooglik út te dwaan. Rjochts gie moai, se fielde har krekt sa'n fotomodel dat de skonk noch in eintsje trochstrekt. Mar links, wêrom woe links net? Se woe de rits net molle, mar der wie gjin beweging yn te krijen. Dêr kaam Johan ek al oan.

'Wêr bliuwst salang, de oaren sitte al oan 'e buorrel.'

'Ik kin ien fan de learzens net út krije, ik leau dat der wat mei de rits is.'

Protteljend gie Johan troch de knibbels en ynspektearre de boel.

'Och hea, ik sjoch it al, de rits is stikken, de izerkes binne hjir byinoar lâns sketten, dat wurdt in nije rits.'

'Mar hoe krij 'k him út?'

'Ik sil nei de auto. Ik leau dat ik de arkbak achteryn te stean ha.'

Al gau wie er werom mei in knyptankje. Hy pakte it boppeste stik fan de rits en besocht hâld te krijen, wylst er him skrep sette tsjin it bankje oan. Hy luts út alle macht, mar de rits wie gjin beweging yn te krijen. Opnij sette er de tange op 'e rits, mar no naam der ek in stikje fel fan Sjoukje mei, dat dy raasde it út.

De oaren kamen op it geraas ôf en doe't se Johan en Sjoukje oer inoar hinne lizzen seagen op it skuonbankje, koene se it laitsjen net ynhâlde.

'No Johan, de earste strike hast al te pakken,' rôp in kollega.

'It is sa lekker ju, de troep is gewoan dyn eigen troep, hast gjin argewaasje fan syn rotsoai.'

'Mar sa kinst dochs net dyn hiele libben wat omdideldeinje'.

'Wêrom net?'

'No gewoan, wolst net gewoan trouwe? Fynst soks net de muoite wurdich?'

'In âlderwetsk bûterbriefke bedoelst?'

'No ja, gewoan, skielk bist in jier as sechstich, sjochst dy dan noch yn 't wykein nei him tasoaljen?'

'Tasoaljen, toe mar, hy komt hjir ek wol, hear.'

'Ik bedoel: ast jong bist en studearrest of sa, dan kin ik it my begripe, mar in frou fan middelbere leeftyd, moat dy noch sanedich in LAT-relaasje ha?'

'Wat docht it der no ta, hoe âld as ik bin, ik wol graach troch de wike myn gong gean kinne. En trouwens, inkeld ite wy troch de wike ek wol byinoar, hear. Soms geane wy ek wolris nei it toaniel.'

'Snapst dochs wol wat ik bedoel?'

'No, eigentlik net nee, wat kin it dy eins skele?'

'Gewoan, ik ha it bêste mei dy foar en ik snap earlik sein net watst der oan fynst.'

'Bist stikem net in lyts bytsje jaloersk, soest it eins sels ek net graach wolle? Moatst dy begripe, kinst alle dagen dwaan dêr'st sin oan hast, ite watst lekker fynst.

As ik langer trochgean wol mei skilderjen of sa, no, dan doch ik dat, ik hoech net ien ferantwurding ôf te lizzen fan wat ik doch.'

'No ja, lit ús der mar oer ophâlde, ik fyn 't nuver. Trouwens, ik hie in troufeest wol moai fûn.'

'Sa'n âld fel yn in wite bodybag seker.'

'No, in moai donkerread mantelpakje soe ek al moai wêze, hear, en dan Frits yn in kreas pak.'

'Wy miene it sa likegoed wol mei inoar. Frits en ik binne in echt tiim.'

'Jim binne dochs net in volleybalploech, wol? In tiim, dat docht my tinken oan sport of oan kantoar of sa.'

'No ja sis: kantoar! It foardiel fan sa'n wykeinrelaasje is gewoan datst inoar dan ek wat te sizzen hast, it ferfeelt lang sa gau net as wannear'st inoar alle dagen trefst.'

'No, ik ha myn nocht dochs ek net fan Kees, it is gewoan sa'n lekker 'safe' gefoel, datst inoar alle dagen sjochst en sa.'

'Moai foar dy!'

'Ja, moai en dat soe 'k dy ek sa graach gunne, Jeltsje.'

'Mar ik hoech it net, it besparret my sa hiel wat enerzjy.'

'Huh? Hoe bedoelst dat no wer?'

'Ik hoech troch de wike gjin striid te leverjen oer wa't de kontener by de dyk sette moat, of wa't it húske himmelet of wa't itensiedt. Dat mei 'k allegear sels bepale.'

'Net allinne bepale, moatst it ek sels dwàan.'

'Dat is wol sa, mar as ik it net doch, of de oare deis pas, mei 'k dat sels witte, ik hoech der earst gjin ferantwurding oer ôf te lizzen.'

'In stikje frijheid bedoelst?'

'In stikje? Ju, soest noait wer oars wolle ast it ek ris diest.'

'Gean wei, ju. Ik wit net at Kees it wol sa'n goed idee fine soe.'

'Wat kin Kees dy skele, it giet om dy!'

'No ja, ik, fyn 't noflik as der ien thús is as ik ta de hûs yn kom.'

'Aha, dus net sasear Kees, mar gewoan ien foar de geselligens, as hûs-opfolling sis mar.'

'No ja, as der sa no en dan in freondinne sitte soe, soe 'k dat ek wol bêst fine, mar ik kin min oer allinne wêzen.'

'Dus as ik it goed begryp, omdatstû sa selskipswiet bist, misgunst my it allinne wenjen?'

'Hè, Jeltsje wat seist it no wer sneu, sa bedoel ik it hielendal net, miskien hast wol in bytsje gelyk en dêrfoar kaam ik hjir eins ek om dy te freegjen ...'

'Ja, leau my, ik fermeitsje my prima en ha alle tiid oan mysels, omdat ik gjin enerzjy hoech te stekken yn hoe't Frits him fielt. Ik wit gewoan dat dy it ek hearlik fynt dat er troch de wike op himsels wennet.'

'Fertroust dat?'

'Fertrouwe? Fertroustû Kees dan net?'

'Ik Kees net fertrouwe? Hoesa dat? Hast him mei in oarenien sjoen?'

'Ju, hâld op, of fertroust dysels net? Bist bang datst oars sels bûten 't boekje gean soest?'

'No ja sis, hoe komst derby, ik bin dochs troud?'

'Wat seit dat langer hjoeddedei?'

'No hâldst op, begrepen?'

'Ja, wa is hjir eins begûn, ik bin perfekt gelokkich mei Frits, dû sitst hjir de boel te ferbaljen.'

Skjin himd

Hoelang wiene se no al net troud? Wol fyftich jier omtrint. Twa kear wyks gyng Meinte ûnder de dûs en twa kear wyks lei Beits in skjin steltsje ûnderguod foar him klear yn 't gonkje. Der wie te min plak yn it lytse dûs-seltsje, sadwaande. Sokke dingen feroaren je net mear nei safolle jier. Fansels soe hy syn eigen himd en ûnderbroek ek wol byinoar sykje kinne, dat wie 't net. It wie mear ien fan dy fanselssprekkende dingen dy't altyd sa gien wiene. Mei leafde die se it, dêr net fan.

Hjoed wie 't woansdei en aanst nei 't jûnsiten soe 't wer heve, dan gie har Meinte-mantsje ûnder de brûs en dan hie sy wer in moaie himmele keardel by har yn 'e wenkeamer. Dan rûkte er wer sa hearlik fris. Sneontejûns koe se der nòch mear nei útsjen, want dan ferskjinne se de bêden ek altyd. Earst dûse, skjin ûnderguod en nachtguod oan en dan letter op 'e jûn genoechlik tusken de skjinne lekkens krûpe. Dy knisperen der dan oer en rûkten sa lekker. O, wat koe se dêr fan genietsje.

Se soe noch gau eefkes stofsûgje foardat er aanst ûnder 'e dûs gie. Dat koe noch moai, dan wiene se aanst tagelyk klear. Meinte skaaide no noch wat bûtendoar by de bistjes om, hy soe sa wol yn 'e hûs komme, tocht se. Se krige de stofsûger út de gongskast en tôge it swiere bakbist nei de keuken. Krammeltsje wat wer in krûmels. Dêr soe se even handich mei ôfweve.

Under de tafel achter de poaten dy't in pear sintimeter fan it behang ôfstiene, lei ek ûngerjochtichheid. Dêr koe se ferdikke sa net bykomme. It moast der al wei, blinder. Se helle it brede sûchstik derôf en lei it salang op 'e tafel del. Mei it ein buis soe se moai achter de tafelspoaten komme kinne. Op hannen en knibbels lei se derfoar, mar sa koe 't moai. Se pûste en suchte deroer, want it jongste wie der fansels sa stadichoan ôf. Mar it die al fertuten. Sjongend sûge Beits alle krûmeltsjeguod der wei. Se koe de ûnderkant fan 'e tafel no ek daliks moai meinimme, want hjir en dêr seach se in spinreach.

Fol fan har gedachten, hie se Meinte net yn 'e hûs kommen heard. Troch it leven wat de âlde stofsûger makke, hie se it oanslaan fan 'e geiser ek net opmurken.

Meinte wie klear mei dûsen, hy hie der net in protte wurk fan makke diskear. Hy hie him allinne wat ôfspield, want it kaam him yn 't sin dat der aanst fuotbaljen op 'e televyzje komme soe. Gau droege er him ôf en smiet de handoek yn de waskkoer. Hy die de doar iepen om syn ûnderguod te pakken, mar der lei neat klear. Dit wie yn 'e war fansels, hoe hie er it no? Mei in flinke stap gie er troch de gongsdoar en stevene de keuken yn. It soe kinne dat Beits wat yn gedachten west hie en dat it ûnderguod op 'e keukenstafel lei. Sjoch no ris. Dêr lei syn leave wyfke mei de poepert nei him ta op hannen en fuotten te stofsûgerjen. Hy koe 't net litte, slûpte op har ta, dûkte ûnder de tafel en pakte har yn 'e mul beet.

'Ah, bist no hielendal?'

Yn ien kear skeat Beits omheech, stjitte de holle oan 'e tafel en draaide har yn in refleks om, de stofsûgerslang rjocht foar har út. En doe wie it Meinte syn beurt om te âljen: 'Bist no hielendal!' Syn neakene spultsje waard yn ien kear opsûge troch it metalen gefaarte en slingere as in wyld hinne en wer yn de brede stofsûgerbuis. Beits stie fersteld fan it sûchfermogen fan de âld stofsûger en krûpte op hannen en fuotten nei de stofsûger ta om it ding út te setten.

Dy earme Meinte hie der sa'n lêst fan, dat er de oare moarns dochs noch nei dokter rekke. Hy sei mar dat er mei in pakesizzer it lân yn west hie mei de polsstok en dat er eefkes foardwaan wollen hie hoe't pake en syn maten eartiids kultsjebrekken diene ...

'Hòe neame jo dat?' frege dokter ferheard. 'No, dat is dan wol in tapaslike namme, it hie net folle skeeld!'

Ticht

Sûnt dy kear dat der foar de tredde kear by harren yn-
brutsen wie, hie se it.

Se wie dy nachts ûnder kaam om in fleske molke
waarm te meitsjen foar harren poppe. Doe't se de ra-
vaazje seach, krong it earst noch net ta har troch dat
der wat te rêden wie.
Doe't se de doar lykwols noch wat fierder iepentreau,
fernaam se dat it swier gie omdat de tafelsladen der
heal tsjinoan leine. Werklik àlles lei oer de kop. Se
stuitere nei de keuken en seach dat de achterdoar yn 't
wiidst iepenstie. Se wie him oer 't mad kaam. Miskien
hold er him noch wol ferburgen yn 'e badkeamer. It
koe har neat skele, se moast it witte. Gau pakte se in
túchblik om him byneed in reis mei te jaan en smiet
doe de doar yn ien kear iepen en raasde: 'Hééé!' Neat,
se loerde even goed achter it dûsgerdyn en wist doe dat
hjir gjin gasten mear sieten dy't net noege wiene. Der
stie allinne in wite ruft-amer mei it lid der stiif op.
De grizel wie der troch it keukensrút yn kaam. Der
leine houtspuonnen op it oanrjocht. Sy loerde troch it
rút en seach de plestik flessen yn 't finsterbank bûten
stean, mei de oalje dêr't har man âldjiersdei oaljebollen
yn bakt hie. Dy flessen hiene fansels earst oan de oare
kant fan 't rút stien, mar dy aap dy't by har ynbrutsen

hie, hie gjin fet yn 'e broek hawwe wollen fansels. Sy hearde har famke boppen gûlen en besleat dat dy foar alles gyng. Se joech it fleske en besocht har mei goed fatsoen wer yn 'e sliep te krijen. Mar it lytse protsje fielde ynstinktyf dat der wat te rêden wie en woe har net deljaan.

De oare moarns belle se de plysje en die oanjefte. De plysje kaam mei in swiere delegaasje fan twa man, en liet in ynfolformelier achter dêr't se krekt op oanjaan koene wat der miste. Dy deis bellen der geregeld minsken oan dy 't dingen fûn hiene mei harren nammen derop. In hântas mei in lege beurs, mar wol mei in donorkodisyl, en soks.

It slimste fûn se noch dat de ynbrekker yn de kommoade omklaud hie. Alles wie trochinoar ramaaid. Hy hie mei syn smoarge dievekloeren oan har poppeguod sitten. Se koe der wol fan spuie.

It wie der yn slûpt, krekt as de ynbrekker. Earst hie se it net iens troch, mar alle kearen as der wat iepen stie, rekke sy dêrfan oer de toeren. As it no in laadsje, keukenkastje of in doar wie, sy rekke oeral. Se wist yn sa'n gefal net hoe hurd oft se it laad, it kastje of de doar wer tichtdwaan moast.

Yn 't begjin die se dat noch wol aardich rêstich, mar de lêste tiid smiet se alles mei in rotgong ticht. Dy klap joech dan even wat foldwaning, mar naam har ûnrêst net fuort. As de oppas nei bûten rûn sûnder de doar achter har ticht te dwaan, of har âldste jonge in pot pindakaas krige en dan net allinne it kastje iepenstean liet, mar it lid ek net fêst draaide, waard se dûm. Der hoegde mar in laadsje in lyts stikje iepen te stean of se raasde it út.

Op in dei kaam der in brief fan de plysje mei de meidieling dat se de ynbrekker te pakken krigen hiene, hy hie in hiele trits ynbraken op syn gewisse. De datum fan de rjochtsitting wie bekend en der stie in meidieling by dat sy, as sy dêr ferlet fan hie, by de rjochtsitting oanwêzich wêze koe. Dan koe se kontakt opnimme.
Dat die se. Se woe no wolris witte wa't yn 'e talkpoeier en de slaabkes omreage hie. Daliks krige se de telefoan en regele har besite, se fielde har fuort al in stik better. Doe 't de beëage man de seal ynkaam wist se net wat se seach: it wie har oerbuorman. It wie Jaap, dit wie gewoanwei net te leauwen. 'Jaap, ik klau dy de eagen út 'e kop, ast wer frij komst,' raasde se. Alle hollen draaiden har kant út en der kaam fuort ien fan de feilichheidstsjinst op har ta om te warskôgjen dat se neat sizze mocht.
'Dat hie 'k al tocht, datst hjir neat yn te bringen hast en dat de dieder mear beskerming krijt as it slachtoffer! No, dan gean ik noch leaver nei hûs!'
Mei grutte stappen seach se dat se út 'e rjochtseal weikaam en smiet de grutte swiere doar mei in ôfgryslike rotklap ticht.

Twamannerij

Gau toetste se Ria yn yn har adresboek. Dat fûn se wol fernimstich betocht, om har lover ûnder in frouljus-namme yn it telefoanboekje fan har mobyltsje te set-ten. In begjinletter kieze ergens achteroan yn it alfabet, dan koe it ek minder gau troch fersin yntoetst wurde, mocht har tasteltsje yn ferkearde hannen falle.

Se krige de voice-mail derfoar. "Frits, mei Mette. It wurdt in kertierke letter, ik moat even in handoek delbringe by Andree."

Se wie al sa wend oan har dûbellibben dat se har net drok makke oer morele wearden.

Yn 't begjin wol. Doe hie se it der wol swier mei hân. Mar ja, se koe net heal mear sûnder Frits en it libben mei twa manlju tagelyk gie har maklik ôf. Mette mear-man. Hearlik. Se koe net kieze tusken har beide kear-dels, se wiene har beide like dierber. Elk hie syn eigen sjarme. It soe ommers ek wol hiel fantastysk wêze as alles yn ien man ferpakt siet? Ien mei alles derop en deroan, derby, deryn en deromhinne? No dan! Twa helje en ien mei in bûterbriefke betelje!

It wie ek bepaald net sa dat at se by de iene wie, se eins leaver by de oare wie. Nee hear. Wie se by Andree – en dat wie se it grutste part fan de tiid – dan koe se har skoan by him deljaan. Wie se by Frits, dan wie it eins allinne yntinsiver as by Andree, want dan hie se it gefoel dat se mear mei him ûndernimme moast yn koarter tiidsbestek. It wie wat kompakter, sis mar. En tagelyk joech dizze dûbelrelaasje harsels it gefoel eksklusyf te wêzen foar Frits en Andree. It joech har in gewèldige boost oan enerzjy dat beide manlju sa mâl mei har wiene.

Gelokkich wie Frits net troud, oars soe it wol hiel yngewikkeld wurde, dan hiene se nòch mear wurk om de spoaren út te poetsen. No wie it goed te dwaan allegear, al fielde se har bytiden as wie se in meiwurkster fan it forinsysk ynstitút. Sa tocht sy derom om gjin kattebeltsjes fan him of kaartsjes fan foarstellings dêr't se mei him nei ta west hie, yn 'e jasbûse te bewarjen. Of rekkentsjes fan ythúskes yn har tas te triuwen, of syn sjaal thús oan 'e kapstok te hingjen, as sy har eigen fergetten hie mei te nimmen.

It wie bytiden knap yngewikkeld, mar se hie har twamannerij sa opboud, dat se der noait om hoegde te ligen. Sy fertelde gewoan noait út harsels wat se de hiele dei dien hie, en waard der al nei frege dan smarde se de feilige aktiviteiten gewoan út oer de hiele dei. Klear. Is net-fertelle itselde as lige? Neffens har net. Andree frege dochs noait wat sy dien hie, no, dan makke se him ek net wizer. Se liet Frits altyd út de ferhalen.

Om kyt te spyljen frege sy ek noait oan Andree wat er allegear dien hie. As it fuotbaltrenen dien wie, siet er dochs meastal mei syn maten yn 'e kantine, dat wat hie it dan ek foar doel om te freegjen wat er dien hie? As hy der mar net op ynfrege wat sy salang dien hie doe't hy oan 't baltsjetraapjen en pilskepakken wie, treau se mei alle leafde syn smoarge treningsguod yn 'e waskmasine.

Jûn wie it Andree syn wyklikse treningsjûn. Sy hie him om seis oere leafdefol útweaud en wie daliks nei boppen rûn om har te ferstrûpen foar har rendez-vous mei Frits. Doe seach se dat Andree syn badlekken, dat er neitiid altyd brûkte as er te sporten gie, fergetten hie. Foar itselde koe se it dêr bêst eefkes delbringe, gewoan ôfjaan by de kantine, of op syn sporttas lizze yn de ferklaaihokken.

Se krige it badlekken en lei it neist har hântaske op de passazjiersstoel fan 'e auto. Mei in nuver soart spanning yn 't liif ried se nei de sportfjilden ta. Wat lekker sûn, sa yn 'e bûtenlucht in partijtsje skoppe, gie it troch har hinne. Se wist krekt wêr't de groep fan Andree de tassen te stean hie en sette derop ta. Dêr rûn se ien fan Andree syn fuotbalmaten tsjin 't liif.

'Gerard, ast Andree aanst sjochst, seist dan even dat ik syn badlekken brocht ha?'

'Hin?' sei dy fernuvere. 'Andree treent hjoed net. Hy hat ôfbelle, hy moast oerwurkje, sei er.'

Oerwurkje? Andree? Har Andree hie noch noait ien kear oerwurke, wat wiene dit foar nuvere oanslaggen? Ferbjustere stevene se it klaaigebou út, stuts de kaai yn 't autoslot en sjeesde streekrjocht nei Andree syn kantoar. It wie te probearjen. Hy soe wol net safolle fantasy ha om … Se fleach it kantoar yn en bekroade har net om it alaarm dat as in wyld begûn te razen. Se sprinte nei Andree syn keamer en ja hear, dêr luts er krekt beskromme syn spikerbroek omheech, wylst in frommeske der wat betommele nei stie te sjen yn har naveltruike, dat se op dat stuit wol oan 'e knibbels talûke woe. 'Ik miende dat ik de iennige foar dy wie, kloatsek!'

Se hie it noch net sein of dêr gie har mobyltsje. It wie Frits om te hearren wêr't sy bleau, want hy hie al mear as in healoere de Bokma kâld.

Wite stjer

As Anita der wis fan is dat gjinien harsels en har freon-
dinne hearre kin, bûcht se har nei Karin ta en seit
mei in sacht lûd: 'Moatst hearre ju, ik wol myn stjer
bleke.'

'Dyn wàt?' Karin wurdt der kjel fan en wit net wêr't se
sjen moat.

'No, myn poepgatsje, no goed. En praat net sa lûd.'

'Wêr is dat yn 'e frede goed foar ju?' Hoe krijt Anita
it dochs altyd foarelkoar om har te sjokkearjen, tinkt
Karin by harsels.

'No, foar op it strân as ik in stringbikiny oan ha, en
gewoan nachts op bepaalde stuiten.'

'Hast it ljocht dan oan?' Karin sjocht ûnwillekeurich
nei de ferljochting yn it kafee, dat fierder fierhinne
ferlitten is.

'Nee, waksineljochtsjes, wy hâlde net fan dy fûle ljoch-
ten.'

'Dat liket my wol romantysk, wy sitte altyd yn 't tsjus-
ter ús klean út te lûken.'

'Dochst dat sels, lûkst dyn eigen klean út?'

'Ja, as hy dat docht, dan krij 'k fuort de kribels.'

'De kribels, hoe dat sa dan?

'No, foardatst it witst, skuort er myn himdsje út, of
roppet er de knopen fan de pyama en dan baal ik sa, ik
blokkearje hielendal fan sok ûnhandich gedoch.'

'Sliepst yn in pyama dan?'

'Ja hè hè, ik bin sa'n kâldklommer, hy moat ek altyd earst myn kâlde iisklompen opwaarmje, oars wurdt it yn 't foar al neat. As it echt kâld is, ha 'k nachts bêdsokken oan.' Wêrom fertel ik dit allegear, tinkt Karin, wat giet it Anita eins oan.

'No, ek net echt befoarderlik foar it libido soe 'k sizze.'

'Falt genôch ta, hear, ha 'k noch noait klachten oer hân.'

'Mar jimme besjogge inoar noait ûnder it frijen?'

'Besjèn, getfer, dan sjocht er dat ik in pûstje yn 'e nekke haw, of dat ik in bytsje groeid bin of sa.'

'Nee, sa bedoel ik it net, hoe kinst no frije mei ien dy'tst net sjen kinst, foar 't selde leist mei in wyldfrjemden op bêd.'

'Hoe sil ik dat ha dan?'

'No, kinst dat ferhaal fan Roald Dahl net, fan dy man dy't yn it tsjuster sûnder dat er it wit mei in frou oan 't frijen is, dy't lepra hat, wylst er tinkt dat er mei de knappe dochter fan de gasthear leit te frijen?'

'No ja, echt? Tinkst dochs net dat ik it mei frjemde manlju doch omdat ik it ljocht nachts net oan ha, wol?'

'It soe samar kinne. Stel dat dyn mantsje letter as dy op bêd giet, omdat er alle sportwedstriden earst útsjen wol. Mar wat bart der? Hy giet noch in slachje om troch de frisse nachtlucht. Yn 'e tuskentiid floept in ynbrekker de hûs yn en dy strûst sa by dy op bêd. Sûnder wat te sizzen flijt er him neist dy del.'

'Dat soe 'k daliks troch ha.'

'Net ast yn dyn earste sliep bist en sliepdronken tsjin him oanrûgelest.'

'Neffens my ha 'k it dan dochs wol gau troch, ik rûk dat it net myn eigen fertroude man is.'

'Mar stel dat dy ynslûper yn it badkeamerkastje gau wat fan de aftershave fan dyn man opdien hat, dan rûkst de lichemsrook net fan dy frjemde lover.'

'Neffens my is dit ien fan dyn eigen fantasyen, om sa ris oermastere te wurden.'

'Bist gek. Mar ik wol altyd sjen wa't ik foar my ha, ek ûnder it frijen.'

'No ja. Hast my noch net ferteld, troch wa'tst it dwaan litst.'

'Wat dwaan litst?'

'No, dat mei dat bleekwetter.'

'Bleekwetter?'

'Ja hè hè, wa begjint deroer? Dû wolst sa nedich dyn achterkant oppimpe.'

'O, dat. No, dat woe 'k sels mar dwaan, mei in watsje of sa. Tinkst dochs net dat ik mei myn poepertsje foar de 'schoonheids'-spesjaliste stean gean en sis: bring de feestferljochting mar oan?'

Wintersliep

'Hy koe wol autistysk wêze. Dan ha ik him al twa kear frege oft er noch kofje ha wol, mar nee hear, neat, hielendal gjin reaksje fan syn kant. Hiel inkeld komt er by út 'e koma en seit er op syn alderleafst: Sorry leave, ik sit hjir nei te hearren, wat wie der oan?'

'Dan kinne jo tink net lilk op him wurde, as er sa knuffelbearich docht?'

'Dan stean ik heal op ûntploffen en dan docht er sa. In oare kear sit er wat te humjen, dan krij 'k gjin sinnich wurd út him.'

'Mar kin 't ek wêze dat jo him sels it swijen oplizze?'

'Hoe bedoele jo dat, frou Zadelhof? Ik wol neat leaver as in iepen petear mei him, mar it is helte fan tiden noait liker as sit der in somby op de twa-en-in-healsits!'

'Neffens my kastrearje jo jo man geastlik.'

'No moat it net mâlder! Ik doch myn bêst om ta him troch te kringen, om ticht by him te stean. Ik doch earlik wier myn bêst om oprjocht ynteressearre te wêzen yn him.'

'Jo koene it wolris te fier trochdriuwe en dêr wurdt sels de meast ekstroverte man ympotint fan.'

'Hoe witte jo …'

'As ik de sitewaasje by jimme thús goed ynskat, dan giet it ûngefear sa: jo uterje jo op in natuerlike wize en dat hâldt yn dat jo man harkje moat. En dat harkjen is

117

net allinne in kwestje fan de kop derby hâlde. Nee, wie
't mar sa simpel. As jo man harkje moat, kin er mar
begryp foar jo ha, mar hy moat it net weagje om alfêst
mei in oplossing oan te kommen.'

'Nee hè hè, ik moat eefkes lekker eamelje kinne.'

'Hy mei der in eigen miening op nei hâlde, mar net sa
dat er jo ôffalt.'

'Dat is oarsom dochs ek sa?'

'Dy man fan jo mei inisjatyf toane, mar allinne as it jo
ek wat taliket.'

'Dat liket my net mear as logysk. Wat ha wy oan in
ekstra ôfstânsbetsjinning, as ik him krekt graach wat
mear yn beweging ha wol?'

'Hy mei sizze wat him dwers sit, mar hy mei net silich
dwaan.'

'Dy weiten hinnen hâld ik no ienkear net fan.'

'It is fijn as er in bêst sin hat, mar hy mei net om syn
eigen grappen laitsje.'

'Hy is Tommy Cooper net, op 't lêst.'

'Hy mei ek wol wat fertelle, mar net by Dokkum om.'

'Ik lit him echt wol dingen fertelle hear, ik bin al lang
bliid as hy ekris mei wat komt.'

'Yn 'e klinsj lizze is bêst, mar leafst net mei jo.'

'Was sich liebt das neckt sich, mar dy tiid ha wy hân.'

'Tanadering sykje mei bêst, mar sûnder bybedoelings.'

'Liket my logysk, oars.'

'Der wêze is bêst, mar net steurend.'

'Ik tink altyd mar sa: hy wennet hjir ek, mar ik ha mar

it leafst dat er net tefolle oeral hellet en de kranten wer moai kreas opteart.'

'Hy mei wol behelpsum wêze, mar dan fansels al sûnder jo it gefoel te jaan dat jo it net kinne soene.'

'Hy kin it âld papier dochs wol eefkes oan 'e dyk sette?'

'Foar in frou is dizze gedragskoade de gewoanste saak fan 'e wrâld, mar foar in man, dus ek foar jo man, is dizze stream fan tsjinstridige oanwizings net mear nei te kommen. De man, better sein: jo man, heakket ôf, hy jout it oer. Jo fetsje sok gedrach miskien op as soe hy net yn jo ynteressearre wêze.'

'No, dit is wol in hiele protte tagelyk. Bedoele jo te sizzen dat it by alle froulju sa giet?'

'Dat soe ik net beweare wolle, mar it is wol gauris sa by minsken dy't grutte parten fan 'e dei byinoar omspane.'

'Sa faak sjogge wy inoar net, it is hast in wûnder as wy ris tagelyk thús binne.'

'Likegoed is't wol sa, as jo jo man djip yn tinzen sitten sjogge, dat soks betsjut dat er mentale oeroeren draait. Hy probearret logika yn jo hâlden en dragen te finen. Yntusken is hy al sa faak op 'e fingers tikke foar ferkeard begrepen sinjalen dat er, wurch fan 'e striid en geastlik ferwûne, noch leaver syn tonge trochslokt.'

'Mar bytiden, dan is it net te leauwen, as hie er ferstânsferbjustering, sa docht er dan!'

'Sjoch, bytiden liket it as is er ferdwaasd en ôfwêzich,

mar yn wêzen hoege jo mar ien toets yn te drukken en it is klear, hear.'

'No, dan bin ik sa stadichoan wol hiel benijd, hoe't ik him dan út 'e wintersliep helje kin.'

'It iennige wat altyd goed útpakt is dat jo him freegje hoe't it mei him is.'

'Dus: hoe is 't mei dy? As in soarte fan Sesam open u?'

'Mar dan wol by him sitten bliuwe en net wilens mei de gedachten ergens oars, of derby wei rinne. Jo moatte jo konsintrearje op jo man, oprjocht harkje.'

'Ja, mar, as jo no sa'n man hiene dan waarden je der dochs ek hielendal net goed fan?'

'Sorry ik wenje net mei in man, mar ik ha in freondinne.'

'Dan wol 'k it wol leauwe. Dat is in froulik type seker?'

'Dat ha jo hielendal goed sketten, ik bin de 'man' yn ús relaasje sis mar.'

'Dan wol it my wol oan wêrom't jo it sa foar myn man opnimme. Ik ha jo wol troch!'

Se krige har hântaske fan 'e flier en stevene it gebou út. Se gie wol even by in freondinne oan te kofjedrinken, dy snapte har faaks gâns better as dizze frou sadelpine.

Metroseksueel

Watfoar merk krêm soe er bedoeld ha? Gesichtskrêm foar manlju, hie er sein, mar no't Saskia by de drogist stie, koe se kieze út fjouwer ferskillende merken. Tocht er no werklik dat sy wist hokker merk as er brûkte?

Krekt wer wat foar har om in metroseksueel tsjin 't liif te rinnen. Earst hie se neat yn 'e gaten hân. Se hie wol daliks fûn dat Geart sa lekker rûkte. Net after-sha-verich, mar echt lekker. Manlik, mar dan krekt even oars. Mar doe't it oanrekke en hy by har ynluts, hie se dochs mâl opsjoen. Sy hie oant dan ta altyd wend west oan freontsjes dy't in losse toskboarstel yn in plestik bôlepûdsje meinamen; de measten hiene net iens in toilettas. En oare manlju hiene in arkbak achter yn 'e kofferbak of yn 'e garaazje op de wurkbank te stean. Mar Geart hie in beautycase. Ja èicht! Dat wie syn ark-bak. Sa neamde sy dat ding, om it tsjin har freondin-nen oer better ferantwurdzje te kinnen. En nergens net om, it wie ommers ek in arkbak! Hy hie sok ark nedich om der goed fersoarge út te sjen. Dêrsûnder fielde er him keal, sei er.

Hy siet lykwols mei in probleemke. Sjoch, hy woe graach syn froulike kanten sjen litte, mar it taboe dêrop wie noch net ferdwûn, in man waard der noch altiten op oansjoen as er dêr wurk fan makke. Ja, dat snapte se, mar moast sy dêrom foar him alderhanne smarseltsjes en lotions ophelje by de drogist? Doch it sels, tocht se sa no en dan, ek goed foar de beweging, skeelde wer in rûntsje op sa'n huppel-apparaat.

Dat kaam der nammentlik ek noch by: sûnt er by har yn wenne, hie se in sliepkeamer folkrigen mei in roeiap- paraat, in home-trener, in trilplaat, in búkspiereding en in rinbân. En dêrop jage er him yn it swit. Yn stee fan dat er in slach mei har om gie te kuierjen. Of dat er sels nei de drogisterij tarûn om in nij smarseltsje. Mar nee, hy die alles mei de auto. Snaptest dat no? As er dy fitnessrûmte ôfskafte en in racefyts oantúgde, dan wie 't ommers klear. Sûne beweging yn 'e bûtenlucht. Mar nee, dat wie neffens har sokkebolly net goed foar de hûd, dan krigest lêst fan foartiidske ferâldering fan 'e hûd en mear kans op hûdkanker en neam mar op.

As wie er Michael Jackson, sa'n noed hie er mei syn troanje. Mar goed, Geart hie echt in fantàstysk poe- zelich feltsje. Har freondinnen wie 't ek al opfallen: 'Wat rint dy fint fan dy der hearlik fersoarge by!' As er him jûns lekker skeard hie en er in fijne nachtkrêm op smard hie, no, dan woe sy him oars noch wol graach even oankrûpe, hear. Sadwaande wie se wol ree om mei manljusdeikrêm en alderhanne maskerkeboel yn har kuorke te rinnen. Mar se woe no sa stadichoan wolris dat er oer syn sjêne hinnestapte en dat er as in echte fint gewoan de planken ôfstrúnde en sels syn gesichtsmaskerkes ôfrekkene. Nachts in keardel, deis in keardel, of net dan?

Ladyphone

'Ha jo ek sa'n senioare-mobyltsje te keap?'

'Sa âld binne jo dochs noch net? O, jo bedoele sa'n mobyl dêr't je allinne mei belje en s m s-e kinne?'

'Ja, sa'n bedoel ik eins, ja.'

'Ris even sjen, lit ús mar even nei de fitrinekast tarinne.'

'Bêst hear.'

'Even it glês oan 'e kant, dan kin ik jo mobyl derút krije.'

'Ik krij earst wol ynstruksjes fan jo, net?'

'Fansels, wy begjinne by 't begjin.'

'Wat ha jo dêr in moai dinkje te lizzen, is dat ek in mobyltsje?'

'Dy rôze bedoele jo?'

'Ja, it liket wol in stikje sjippe.'

'Dat is ús nijste mobyltsje foar froulju.'

'It liket krekt in stikje Cadum. Mei 'k dy ris beethâlde?'

'Fansels, sjoch hjir is se. Mar ik moat der wol bysizze dat dit net sa'n ienfâldigenien is yn 't gebrûk en der sitte lytse toetskes op en ...'

'Och, wat in skatsje, hielendal mei froulike rûningen, kinst dy der suver mei waskje, sa lekker glêd, is 't net in aardichheid?'

'Se kin iepenflapt – sjoch sa – en dan kinne der ek foto's mei makke wurde. Sjoch ris oan, no stean jo op it displaytsje.'

'Dat bin ik, net te leauwen, hoe djoer is sa'n dinkje?'

'Dat giet mei in abonnemint. In twa-jierrich abonne-
mint en jo kinne der ek in fersekering by ôfslute. Wol
maklik hear, by fernieling, stelderij of fermissing krije
jo sa wer in nijen.'

'No, dat is my oars ek wol de muoite wurdich, hoe
djoer is dy, seine jo?'

'It mobyltsje kostet neat, mar der sit in twa-jierrich
abonnemint oan fêst fan € 25,00 yn 'e moanne. In fer-
sekering kostet € 8,00 yn 'e moanne.'

'Dus hy kostet neat, no dat is wol prachtich fansels.
"Beter!" soe myn beppesizzer wol sizze.'

'Ja, it is langer allegear 'fet' en 'beter' by de jeugd no?'

'Soene jo my dizze ris útlizze kinne, sûnder de bab-
belegûchjes?'

'Allinne hoe't jo der mei belje kinne, bedoele jo?'

'Hoe't ik dy fotokes dermei meitsje kin, dat kinne jo
my ek wol even foardwaan, dat is prachtich, dan kin 'k
myn moaie syklaam aanst op 'e kyk sette en oan myn
kammeraatske tastjoere.'

'Hat dy ek sa'n tasteltsje, dan?'

'O nee, dat is ek sa, dy hat ek noch sa'n âld kuolkast.
Mar likegoed, as it net te dreech is om my de wurking
fan dit dinkje út te lizzen, dan graach. It moat mar
wêze, ik bin hjir no dochs.'

In healoere letter hie dizze frou alles ûnder de knibbel
wat se witte moast om te beljen, te fotografearjen en

de fotokes troch te stjoeren. Se hie betocht dat se wol oefenje koe mei in berjochtsje nei har dochter ta, dy hie ek sa'n fototasteltsje derop.

Mei in foldien gefoel namen de beide froulju ôfskie. De ferkeapster omdat se de foldwaning hie in djoer abonnemint ôfsletten te hawwen mei in fersekering op de keap ta, de frou omdat se it gefoel hie dat se in hiel goedkeap mobyltsje op 'e kop tikke hie en har oan alle kanten en einen dutsen fielde.

Nei in wike gie de iene frou werom nei de telefoanwinkel, mei har Ladyphone yn in plestik pûdsje by har. Se seach wakker om har hinne, mar seach dy aardige oare frou sa gau net. No ja, se wie ek noch net earlik oan bar. Nei in minút as tsien kaam der sa'n flotte jongkeardel op har ôf.

'Mefrou, wêrmei kin ik jo fan tsjinst wêze?'

'No, ik ha hjir in wike lyn in mobyltsje kocht en no ha 'k in gefal fan wetterskea.'

'Soe 'k even sjen meie?'

De frou helle it trochwiete dinkje út it plestik pûdsje wei en lei it lekkende mobyltsje op 'e toanbank del.

'Gelokkich ha 'k in fersekering, dy ha ik ek meinommen.'

'Hy moat opstjoerd, dat sjoch ik sa wol, mar jo krije salang in oaren ien mei, hear.'

'Dat is wol service, ik kin der eins ek hast net mear bûten, it is sa'n skatsje.'

'Hoe is it eins sa kommen, dat der no al maleur mei is?'

'Ik wie oan 't ôfwaskjen en doe gie myn mobyltsje. Ik helle gau de hannen út it ôfwasksop en soe it oanknopke yndrukke en doe skeat er my sà út 'e hannen wei. Yn ien kear yn it ôfwasktobke ...'

'No, dat trof mâl, ja. Dêr kinne se net oer, no? Ik sil in nijen foar jo ophelje.'

Hy stapte nei it magazyn ta, wylst sy by harsels tocht: Wêrom meitsje se dy dingen ek krektlyk as in stikje Cadum? Dochs neat gjin wûnder dat ik der mei ûnder de dûs stapt bin? Sûnder bril seach ik it echt foar in stikje sjippe oan en foardat ik it yn 'e gaten hie stie 'k my der mei te waskjen.

Mar se paste der wol foar op om dat tsjin sa'n bluisterich jonkje te sizzen.

Omslachûntwerp: Barbara Jonkers

Setwurk: Robert Seton

Printwurk: Koninklijke Wöhrmann bv, Sutfen

Foto omslach: Barbara Jonkers

Foto Wieke de Haan: Reyer Boxem

www.bornmeer.nl

wiekedehaan.web-log.nl

Bornmeer is in imprint fan:

20 Leafdesdichten en in liet fan wanhoop BV, Ljouwert/Utert